LA DANSE POUR PASSION

www.editions-jclattes.fr

Claude Bessy

LA DANSE
POUR PASSION

JC Lattès

17, rue Jacob 75006 Paris

Sommaire

ANNEXES

Les quelques propos qui suivent doivent être bien clairs. J'adore les danseurs, leur courage, leur passion, leur fraîcheur. Dans tous les studios, sur toutes les scènes du monde, je les admire... à quelques exceptions près.

J'ai passé ma vie parmi eux, mais je n'ai rien à voir avec eux. Entre eux et moi, c'est une véritable histoire d'amour, mais de celles dont on dit qu'elles vous lient à un homme qui n'est pas fait pour vous.

Le résultat ne s'est pas fait attendre. Depuis l'âge de dix ans, alors que pour mon plus grand bonheur je suis entrée à l'École de Danse de l'Opéra, scellant ainsi mon destin, je suis Don Quichotte. J'étouffe, je veux pousser les murs.

Au fil du temps et de la « carrière » qui fut la mienne, j'ai découvert que j'aimais diriger (faute impardonnable à notre époque !). Aimer diriger signifie pour moi refuser l'immobilisme, les règlements stupides, la lâcheté des compromis et pouvoir travailler correctement.

À l'École de Danse

Les destins sont parfois comme les pays, la géographie les façonne.

Au départ, il en est ainsi pour moi.

Je suis née à Paris, 24 rue Chanoinesse, à l'ombre des tours de Notre-Dame. Mon père travaillait au Crédit Lyonnais où il avait rencontré sa future épouse. Ma mère abandonnera sa carrière professionnelle pour élever ses deux enfants. Mes parents sont jeunes, mon frère aîné est pour moi un ami, la gaieté règne dans notre famille. Nous sommes des enfants gâtés, nos premières années sont un enchantement, d'autant plus précieux à ma mémoire qu'il va s'évanouir bientôt.

Ma toute petite enfance se déroule à la campagne, près du Crotoy, elle me marque d'une passion pour la campagne et les jardins, d'un besoin d'espace.

Ma famille déménage au 24 rue de La Rochefoucauld, dans le IXe arrondissement. Depuis le XIXe siècle, c'est le quartier des artistes, ses voies, ses places ont vu défiler peintres et acteurs, modèles et danseuses. Dans la même rue de La Rochefoucauld, au 17 se trouve le cours de danse de

Lioubov Egorova, au 28 celui de Solange Schwarz, au 30 celui d'Yves Brieux, tout près, au 5 cité Pigalle celui de Gustave Ricaux, au 7 rue Chaptal celui de Carlotta Zambelli, bref, je suis cernée.

J'ai six ans, je descends ma rue et passe comme chaque jour devant le numéro 17, la musique qui s'échappe par bribes de la porte cochère m'attire. Cette fois j'ose céder à la curiosité, je pousse la porte. Le prince Nikita Troubetskoï (je ne sais pas encore que c'est vraiment un prince), mari de Lioubov Egorova, dite Madame, est assis dans le vestibule, son chien à ses pieds. Je l'interroge :

— D'où vient cette musique ?

— Va voir par là.

J'entrebâille la porte du studio, aperçois Madame donnant le cours, je m'enfuis précipitamment.

Mme Egorova se souviendra de cette innocente intrusion et me la rappellera bien plus tard.

Ce quartier de mon enfance restera pour moi une terre d'élection. J'y habiterai longtemps, m'y promènerai longuement, rêverai d'y installer l'École de Danse, ne le quitterai que pour un désir de jardin encore plus fort que mon goût pour ces rues en pente qui mènent pratiquement toutes, si on se laisse descendre, à la cour du palais Garnier et à l'entrée des artistes.

Rien ou presque n'a changé. Le pharmacien au coin de la rue de La Rochefoucauld et de la rue La Bruyère existe toujours, par contre le laitier a disparu, comme pratiquement tous les laitiers parisiens. Le bistro du coin est toujours là, Fréhel le fréquentait. Je vois encore Charpini et Brancato descendant la rue d'Aumale et Henri Salvador remonter la rue Saint-Georges. Le petit jardin poussiéreux du square de l'église de la Trinité était un de nos terrains de jeu préférés, car j'appartiens à cette génération heureuse d'enfants qui s'ébattaient dans la rue, sans surveillance. Il est toujours aussi poussiéreux, mais me paraît encore plus petit.

Si on ajoute à cette promenade bien orientée que je ne tiens pas en place, que j'ai une silhouette longiligne, héritage paternel, des dispositions naturelles, et que je suis d'une grande souplesse, mon entrée à l'École de Danse semble la suite logique de cette histoire.

D'autant plus que ma famille maternelle est peu conventionnelle : mon grand-père, Paul Bessy, était comédien, il me léguera son amour des planches, j'adopterai son nom de scène et le ferai mien. Ma grand-mère était chanteuse. Elle m'a appris bien des airs d'opérette, m'emmenant au spectacle le plus souvent possible. Le Théâtre Mogador et les théâtres de boulevard avaient sa préférence, j'y ai vu tout un répertoire bien oublié, *Le Pays du sourire, Les Mousquetaires au couvent, No No Nanette, Pas sur la bouche*… et je peux encore en chanter des passages entiers. Bien sûr, comme tous parents qui se respectent, ils voulaient un avenir meilleur pour leurs enfants et frémissaient à l'idée que leur progéniture pourrait suivre leurs traces et monter sur les planches. C'est ainsi que, docile, ma mère entra dans une banque et y rencontra un grand jeune homme blond aux yeux bleus, un charmeur adoré par son entourage, qu'elle épousa très vite. Ils avaient tous deux dix-neuf ans.

Ma tante du côté maternel, Raymonde, a été élevée par Sarah Bernhardt. Aussi têtue qu'elle est menue, elle a résisté à la pression familiale. Connue dans le monde du théâtre comme « la petite Bessy », car elle mesure 1,52 mètre, elle est spécialisée dans les rôles d'ingénue – un emploi qui ne dure qu'un temps – et quittera les planches pour l'anniversaire de ses trente ans après avoir épousé le régisseur de l'Odéon, André Couvreur. Ce petit bout de femme a un fort caractère, non seulement elle mène à la baguette une famille qui compte un mari et un très officiel amant, mais elle entreprend sa seconde carrière professionnelle en ouvrant une clinique d'accouchement dans le quartier du Marais, rue François-Miron, dans l'hôtel où Mozart se produisit devant un parterre titré. Je vais y jouer tous les jeudis, fouillant avec délices les malles à costumes remisées dans les combles. Plus tard, elle ouvrira une crèche, s'attachera à faire adopter certains de ces bébés qu'elle a vus naître, puis organisera au Crotoy une maison pour enfants abandonnés. Quand les règlements de toutes sortes l'obligeront à fermer ces lieux d'accueil, elle deviendra adjointe au maire du IVe arrondissement et, sa fille ayant été renversée par une voiture de police, gagnera même un procès en plaidant en personne contre la Ville de Paris !

Ma marraine, la meilleure amie de maman, habite comme nous rue Chanoinesse. Gardienne de la cathédrale Notre-Dame de Paris, elle fait visiter les tours ! Les escaliers sont longs, les marches hautes, mais dès que j'ai huit ans, chaque jeudi, j'entame à mon tour la carrière de guide et gravis les étages, répétant d'une voix flûtée, devant quelques visiteurs amusés, le discours officiel. Bientôt maman me présente aux sœurs de Saint-Vincent-de-Paul qui l'ont élevée. Je tombe en extase devant leur costume et surtout devant leur cornette, pendant quelques mois je déciderai de prendre l'habit pour porter à mon tour ces ailes blanches.

J'ai ainsi beaucoup entendu chanter dans ma petite enfance, mais je n'ai jamais vu danser si ce n'est les divertissements des opérettes, je n'ai jamais été à l'Opéra. Pourtant, à l'École communale de la rue Blanche, je couvre mes cahiers de dessins de ballerines. Cela intrigue l'institutrice qui connaît la fille de Gustave Ricaux et me conseille de fréquenter le cours de ce grand maître de danse.

Dans un beau studio, jadis occupé par un peintre, amplement éclairé par une lumière du nord, au son d'un piano tenu par la maman du danseur René Bon, au milieu de dix à quinze fillettes, j'apprends les rudiments de la danse avec l'épouse de Gustave Ricaux. Au bout de trois ou quatre mois, le Maître nous prend en charge chaque soir après l'école, au cours de dix-sept heures. L'année suivante, il décide de me présenter à l'Opéra.

Tout s'est passé très vite, après avoir été soumises à un examen médical, nous avons effectué quelques pliés et quelques pas devant Albert Aveline, le directeur de l'École, et le médecin, puis on nous a libérées. Quelques jours plus tard, un « petit bleu » arrivait à la maison, c'en est fait, j'ai dix ans et je suis admise à l'École de Danse. C'est la guerre, les textiles sont rares, contingentés, chichement distribués avec des bons délivrés par les mairies. Je prétends que l'Opéra exige pour l'examen des tenues de couleur bleue, ce qui est faux, et, pour me distinguer (déjà !), j'obtiens de ma mère une tunique bleue, croisée, entièrement plissée qui flatte (déjà !) ma coquetterie mais m'isole (déjà !) des autres enfants, toutes scrupuleusement vêtues de rose…

La coutume veut que chaque enfant entrant à l'École lie son destin à celui d'un de ses aînés du Ballet, qui assure ainsi une sorte de « marrainage ». Je choisis ma petite-mère, la première danseuse Paulette Dynalix, pour son talent bien sûr, mais aussi, mais surtout pour sa gaieté, son indiscipline, son appétit de la vie dans lesquels je me retrouve.

Très vite se révèlent chez moi une extrême obstination et le refus de faire comme tout le monde. Des traits bien marqués de mon caractère qui influeront largement sur mon destin.

Dès les premières semaines, il s'agit de choisir un cours à l'extérieur de l'Opéra pour compléter l'enseignement – très sommaire, je reviendrai là-dessus à loisir – que dispense alors l'École.

Nos professeurs, à quelques rares exceptions près, sont nées au XIXe siècle et ont vécu leur jeunesse avant la Première Guerre mondiale. Le décalage est grand entre elles et les petites filles de la génération des années 30.

Toutes mes camarades vont chez Carlotta Zambelli. Née en 1877, cette grande pédagogue fut une brillante étoile. Le souvenir des ses apparitions sur scène reste vivant dans bien des mémoires. Professeur incontournable, elle est aussi une des « clés » de la réussite à l'Opéra où elle règne toujours. Fidèle à mon principe d'obstination, je refuse donc d'y aller pour rester dans le cours de Gustave Ricaux, merveilleux pédagogue, qui sera aussi le maître de Raymond Franchetti, de Jean Babilée, de Michel Renault, de Serge Golovine...

Ricaux est un maître, mais n'est pas un gourou, et nous n'avons pas pour lui l'attachement exclusif qui unit alors tant d'élèves à leurs professeurs. Mon goût inné de la liberté s'en trouve préservé.

Je travaille avec lui pendant un peu plus d'un an, puis avec Colette Salomon qui lui succède lorsqu'il part à Monte-Carlo donner des cours à la Compagnie que monte Marcel Sablon.

Ma curiosité maladive («pourquoi» est le mot de vocabulaire que j'emploie le plus souvent, au grand agacement de ma famille et de mes maîtres, leur réponse habituelle «parce que c'est comme cela» me jetant dans des états de révolte extrême), mon indiscipline, mon besoin de sensations physiques, et le hasard des rencontres, me conduisent à essayer de nombreuses activités sportives, la gymnastique, le patinage, l'équitation, l'acrobatie que j'apprends chez André Guichot, célèbre professeur, avec les sœurs Carletti, rejetons d'une illustre famille de trapézistes.

L'École de Danse, dirigée par Albert Aveline pendant trente-huit ans, de 1920 à 1958, est alors logée dans les combles du palais Garnier. On compte trois classes pour les filles, les petites, les moyennes et les grandes, deux classes pour les garçons. La classe des petites, une dizaine d'élèves de huit à dix ans, est débutée par Mlle Marceline Rouvier, ancien sujet du Ballet de l'Opéra. Son allure, plus que son enseignement, est encore très nette dans mon souvenir. Et pour cause ! De petite stature, très maquillée, un ruban de velours autour du cou, elle donne ses cours la canne à la main, vêtue d'une redingote qui lui étrangle la taille et chaussée de bottines à boutons. On la dirait sortie d'une gravure du temps de Degas, qu'elle a dû connaître d'ailleurs puisqu'elle est née en 1883.

Nous passons ensuite dans la classe de Mauricette Cébron, qui nous met sur pointes. Son cours est excellent, ses exercices de pointes à la barre sont ceux que je pratique toujours à l'École. Cependant nous montons alors sur l'arrière du pied, ancienne pratique héritée du XIXe siècle qui permet un travail rapide, très intensif de sautés sur pointes. Cette technique est d'ailleurs toujours en vigueur pour les diagonales sur pointes, comme celle de *Giselle* par exemple. Plus tard, Serge Lifar nous demandera de pratiquer différemment, en montant franchement sur le bout renforcé du chausson et en sortant le plus possible le cou-de-pied.

Nous faisons la barre en chaussons de pointes et les exercices de pointes chaque jour, c'est là ce qui fait de l'école française une école incomparable et donne aux danseuses une stabilité et un « confort » uniques. Paradoxalement, le travail sur demi-pointes en devient parfois plus pénible.

Une fois dépassée la timidité des premiers jours, et oublié l'abord bourru de notre professeur, nous détectons son cœur d'or et sa générosité.

Née à la toute fin du XIXe siècle, en 1897, Mauricette Cébron a été l'élève de Berthe Bernay, auteur d'un précieux ouvrage, *La Danse au Théâtre*, témoignage sur la technique et le métier à son époque. D'une grande ouverture d'esprit, elle s'est intéressée aux débuts de la danse dite « moderne » et notamment à Isadora Duncan. Elle sera aussi le premier professeur de Michel Renault.

Son fils, Jean Cébron, travaillera avec Kurt Jooss, chorégraphe d'origine allemande, auteur de ce ballet-chef d'œuvre *La Table verte*, qui traite un thème toujours d'actualité, celui des fauteurs de guerre ; plus tard, Jean deviendra un des assistants de Pina Bausch.

Lucienne Lamballe est notre troisième professeur, chargée de faire passer des petites filles de treize ou quatorze ans dans le corps de ballet. Très bon professeur, elle est aussi très dure et fait recommencer et recommencer encore les exercices qui laissent à désirer. J'ai ainsi un douloureux souvenir d'une série de seize ronds de jambe qui finit par en compter cent trente-deux !

Naturellement, mon esprit de révolte trouve là matière à s'exprimer. Je lui tiens tête et elle m'envoie régulièrement à la régie qui tient lieu de cour disciplinaire, les régisseurs, Messieurs Perica, puis Pelletier, qui sont d'anciens danseurs du Ballet, me tancent souvent, mais plutôt mollement.

Je suis écrasée par la discipline et les conventions. J'explose dans ma tête comme dans mon corps, me libérant par des échappées de poulain sauvage qui sont immédiatement sévèrement réprimées. Mon indiscipline est connue, repérée, surveillée, je suis toujours au bord de la rupture, du renvoi. Où est ma place ? Ici ? Ailleurs ? je ne sais pas encore et le destin va en décider pour moi.

À l'École la pédagogie laissait alors à désirer, mais nous y avons par contre appris très tôt les gestes de notre métier grâce aux nombreux spectacles dans lesquels nous faisions de la figuration. Cette accoutumance à la scène se doublait d'un observatoire unique pour étudier nos aînés.

Entre nous, avec l'aide de nos «petites-mères», nous nous sommes costumées, maquillées, coiffées. L'opération n'était pas alors aussi codifiée ou diversifiée qu'aujourd'hui. Régnaient le bon plaisir et l'émulation. En 1965 seulement, Roland Petit, premier chorégraphe à émettre pour *Notre-Dame de Paris* des demandes spécifiques en la matière, fera afficher au tableau de service par son décorateur René Allio des croquis indiquant maquillages et coiffures. Il faut dire que le costumier de ce ballet était Yves Saint Laurent, dont l'esthétique commandait la perfection.

C'est dans l'opéra de Gluck, *Alceste*, que je fais ma première apparition sur scène, sans émotion aucune. Avec ma camarade Jacqueline Bienvenue, nous incarnons les enfants d'Alceste. Au commandement du régisseur, nous courons nous jeter dans les bras de notre mère, alias la cantatrice Germaine Lubin, qui nous écrase de joie contre sa plantureuse poitrine, et nous captons directement, comme de l'intérieur, la puissance de sa voix magnifique. Cette reprise n'est plus dans la chorégraphie de Bronislava Nijinska, Albert Aveline, le directeur de l'École, a réglé de nouvelles danses qu'interprètent les grandes élèves. Les petits rats sont de maigrelets enfants qui portent la marque des privations de l'Occupation. Léandre Vaillat, témoin précis de l'histoire du Ballet de l'Opéra, écrit à propos de notre prestation : « Les élèves de l'École de Danse, qui n'ont pas encore le droit d'avoir un nom sur l'affiche, nouent des rondes ou s'assemblent en groupes gracieux, qui évoquent des sujets de pendule à la manière de Falconnet, sauf que les petites filles de l'année 1944 paraissent moins bien nourries que les modèles du sculpteur ne l'étaient au XVIIIe siècle, et qu'on les plaint un peu, en les applaudissant. » Comme tous les enfants de l'École de Danse, je suis aussi un négrillon dans *Aïda*, et bientôt une Nubienne ou une Troyenne dans *Faust*. Et surtout, au dernier acte de cet ouvrage vedette de l'Opéra, œuvre interminable, un ange portant sous sa tunique immaculée ses godillots, son tricot et sa jupe plissée, prêt à filer dès la rédemption de Marguerite et le baisser du rideau pour regagner son lit car il est déjà fort tard.

Le ballet de *Faust,* dans la chorégraphie de Léo Staats, marquera tous les moments importants de ma carrière à l'Opéra. Le jour où j'ai été engagée dans la Compagnie, je devais danser un négrillon et le soir même j'ai remplacé dans *Les Troyennes*. Le jour de ma nomination de première danseuse, j'ai remplacé Madeleine Lafon dans la variation de *Cléopâtre* et, le jour de ma nomination d'Étoile, j'ai remplacé Micheline Bardin dans celle d'*Hélène*.

Cette œuvre a d'ailleurs été un point de repère pour toute une génération. Il suffit d'ouvrir les mémoires des chanteurs et des danseurs de l'époque pour y trouver maintes références et anecdotes relatives aux innombrables représentations de cet opéra, où le ballet occupe une grande place. Au passage, je regrette qu'elle soit si souvent aujourd'hui amputée de sa partie dansée. C'est le premier ballet que j'ai remonté pour l'École en 1978 quelque trente-cinq ans après mes débuts. Les variations étaient dansées par des élèves qui avaient noms Carole Arbo, Karin Averty, Fanny Gaïda, Sylvie Guillem, Élisabeth Maurin et Marie-Claude Pietragalla... Je me réjouis d'avoir fait filmer les variations des solistes avec les trois premières de ces jeunes danseuses.

Faust était alors l'ouvrage emblématique de l'Académie Nationale de Musique et de Danse. Traditionnellement, cet opéra ouvrait l'année par une représentation le 1er janvier. Le ballet est inséré à l'avant-dernier acte, intitulé *La Nuit de Walpurgis*. Il arrive juste au bon moment pour les abonnés qui, depuis bien longtemps, n'assistent plus à la totalité du spectacle mais ne manquent jamais l'arrivée des danseuses. La structure chorégraphique respecte la hiérarchie de la Compagnie. Pendant ce qui est censé être une nuit de débauche, seize quadrilles incarnent les Troyennes, seize coryphées sont les Nubiennes. Elles n'ont pas droit aux pointes, qui seront l'apanage des courtisanes dansées par les sujets. Arrivent enfin pour les variations les trois solistes, Phryné souvent dansée par un grand sujet, Cléopâtre dansée par une Étoile et enfin Hélène, Étoile qui interprète le «pas du miroir», le passage le plus virtuose. Autrefois les trois dames étaient vêtues de tuniques jaune, rose et blanche, depuis la millième représentation, elles sont toutes trois en tutu blanc, comme les courtisanes. Les abonnés ont protesté contre cet appauvrissement du costume, traitant l'Opéra de « grande maison de blanc ».

Pour les petits rats que nous sommes, ces apparitions sur scène sont quasiment des moments de détente et nous en profitons pour faire les quatre cents coups dans les loges et dans les couloirs. L'inévitable rôle du croquemitaine est tenu par notre surveillante générale, Mme Boulay. Les autres surveillantes sont d'anciennes danseuses qui nous traitent avec amitié.

Dans le palais Garnier, le couloir dit des cent mètres prolonge la rue de Mogador. De la porte de ma maison, rue de La Rochefoucauld, jusqu'à l'Opéra, il n'y a pas de rupture géographique, c'est ma rue, c'est mon chemin, je passe par ici, je vais là-bas. Cette appropriation des lieux est ma première identité, elle me donne une incroyable assurance. Le jour où ce fameux couloir des cent mètres a été repeint, dans les années 90, j'ai eu un choc. Objectivement il en avait bien besoin, mais quelle catastrophe ce blanc crème bien propret au lieu de ces merveilleux rose pisseux et marron dégueulasse !

Deux par deux, nous cheminons dans les interminables dédales de l'Opéra, les mystères du palais Garnier nous tournent la tête. Toujours en fin de rang, je m'échappe pour monter dans les cintres, respirer l'odeur du théâtre, poussières des décors, gélatines brûlées des projecteurs, poudres et crèmes suries et tournées des maquillages. Certes je serai punie, mais qu'importe !

Nos journées sont bien occupées. Le matin, dès huit heures, nous allons suivre le programme scolaire à l'École de la rue La Ville-l'Évêque, puis nous y déjeunons en faisant chauffer nos gamelles sur le poêle. La scolarité est alors obligatoire jusqu'à quatorze ans et nous amène au certificat d'études.

Le rôle du cancre est tenu brillamment par... Pierre Lacotte. Quand je vois aujourd'hui ce digne maître de ballet, spécialiste reconnu dans le monde entier de la période romantique, restaurateur des chefs-d'œuvre oubliés du répertoire, je ne peux superposer l'image du petit garçon turbulent, incontrôlable, toujours prêt pour les bêtises, qui jouait les pires tours à notre institutrice, Mlle Lamoussière. Il faillit même l'assommer à coups de balai, alors que, caché derrière la porte des toilettes et ainsi armé, il attendait que passe une fille pour la poursuivre. Coup de malchance, ce fut Mlle Lamoussière qui ouvrit la porte et reçut le balai sur son beau chignon gris bien gonflé. Le scandale fut à la mesure de l'offense.

L'après-midi, nous cheminons en rang par deux vers le palais Garnier où ont lieu les cours de danse. Pendant qu'une partie des élèves fait ses devoirs, le reste de la classe prend la leçon ou bien assiste aux répétitions, et nous nous succédons ainsi dans les locaux du quatrième étage où sont rassemblés les vestiaires, les salles d'étude et les classes.

Les ascenseurs n'ont pas encore été installés, les escaliers résonnent du bruit des galoches car notre génération d'enfants de la guerre ne connaît ni les semelles en caoutchouc, ni les chaussures souples. Il n'y a pas de douche dans nos locaux, seulement un minuscule lavabo, un seul vestiaire, un unique et antique W.C.

Nous bouclons cet emploi du temps à quatre heures, sauf si nous figurons dans un spectacle, il faut alors rentrer chez soi faire ses devoirs, dîner et revenir à l'Opéra pour la représentation de huit heures et demie, ce qui nous fait nous couler dans notre lit vers minuit. Tous les trajets se font à pied.

Après le spectacle, je rentre avec Jacqueline Bienvenue qui habite rue Chaptal, et avec Émilienne Javillard, logée rue Fontaine. Nous prenons la rue de Mogador où les prostituées, sur le pas de leurs portes, sont devenues nos vigilantes copines. Un soir, un soldat allemand visiblement éméché nous suit et nous entreprend à notre grande terreur, quand soudain plusieurs de ces dames se précipitent sur notre agresseur et le tabassent à coups de sac à main. À dater de cet incident, deux ou trois d'entre elles nous accompagneront jusqu'à la place de la Trinité. Un soir de représentation, par extraordinaire, ma mère décide de venir me chercher, elle découvre, sidérée, mes liens amicaux avec ces dames. L'explication qui s'ensuivra sera fort discrète car, d'une part maman est une femme généreuse et anticonformiste et, d'autre part, on croyait alors protéger les enfants des dangers de la vie en les leur cachant.

Dans mes souvenirs, les malheurs de la guerre ne forment qu'une toile de fond très floue pour notre petite communauté d'enfants de la danse. Surnagent la difficulté d'approvisionnement, à laquelle mon père trouvera provisoirement remède grâce à une caisse de dattes et de figues dénichée je ne sais où, et le froid, que nous combattons en dansant emmitouflées dans des lainages devant un parterre d'uniformes, des hommes immobiles, en tenues vert-de-gris, assis tout raides, la casquette posée sur les genoux. À la maison, pour nous réchauffer nous brûlons la bibliothèque de mon grand-père, les gros volumes des éditions Larousse partent les uns après les autres en fumée.

Pourtant, j'entends encore les sirènes des alertes aériennes qui nous faisaient nous précipiter en troupeau dans les caves du palais Garnier où régnait un lourd silence à cause de l'épaisseur des murs. Sur les parois, on peut encore aujourd'hui lire les indications qui y avaient été portées : « Abri A », « Abri B ». Curieusement, il me semble que les représentations du soir ont toujours échappé à ces péripéties, à cause du couvre-feu elles furent avancées à dix-huit heures.

Plus sinistres, me reviennent en mémoire les bombardements qui me jetaient dans un état de terreur panique. Tandis que les bombes tombaient sur le quartier de La Chapelle, ma mère me tenait serrée dans ses bras, enveloppée dans une couverture, pour tenter en vain de me calmer.

J'ai gardé de cette époque une peur incontrôlable des feux d'artifice.

Et des images liées aux journées de la Libération me hantent encore. Penchée à la fenêtre de l'appartement familial du deuxième étage, au coin de la rue de La Rochefoucauld et de la rue d'Aumale, je vois un avion tomber en flammes et son pilote sauter en parachute et se poser sur le toit du Théâtre Pigalle. Je vois surtout, toujours, « Fritz »

comme l'avaient surnommé les enfants du quartier auxquels il distribuait des friandises, ordonnance d'un officier
allemand caserné rue d'Aumale qui l'avait oublié dans l'affolement de la retraite, monté sur le toit de la maison et faisant de grands gestes de reddition, Fritz, notre ami, tiré
comme un lapin, s'écraser sur la chaussée. J'en ai tremblé
convulsivement pendant deux jours.

Dans un grand moment d'enthousiasme, mon père
nous a conduits place de la Concorde pour voir passer le
général de Gaulle. Au milieu de la liesse générale, quand
les Allemands ont commencé à tirer, nous nous sommes,
comme tant d'autres, plaqués au sol, pour nous relever couverts de plumes, celles des poulets, prises de guerre que
les tankistes avaient consommés pour déjeuner. Malgré ce
détail comique il me reste de cette journée une terrible ago-
raphobie.

Engagement dans le Ballet

La mémoire me manque pour évoquer l'examen d'entrée dans le Ballet. Pendant les années de guerre il n'y avait pas eu de rituel de ce genre. Après la Libération, on s'aperçut que de nombreuses danseuses n'avaient pas regagné le palais Garnier, leur destin les ayant entraînées ailleurs. Pour reprendre des activités normales, il fallait renforcer considérablement les rangs. Il me semble que pratiquement toutes les élèves de dernière année de l'École, une quinzaine, sont alors engagées dans le deuxième quadrille après un examen sans solennité. Il se déroule sur la scène, devant un jury installé à une grande table adossée au rideau de fer, qui devait être composé du directeur Maurice Lehmann, du professeur Robert Quinault, du maître de ballet Albert Aveline, et des danseuses Lycette Darsonval et Paulette Dynalix. Nous avons exécuté par groupes de quatre une petite présentation avec un adage, puis par groupes de deux une variation élaborée par notre professeur.

À l'Opéra, la confusion règne.

Après trente ans de mandat à la direction du palais Garnier, Jacques Rouché a été remercié ou, plus pudiquement, admis à faire valoir ses droits à la retraite. Entre deux dates qui claquent comme des coups de canon, 1914 et 1944, il a tenu le bateau d'une main ferme et a fait passer l'Opéra du XIXe au XXe siècle, modernisant le plateau, développant le répertoire, multipliant les créations.

Fort de l'exemple de Diaghilev, il a voulu engager Vaslav Nijinski comme danseur Étoile, Bronislava Nijinska comme directrice de l'École de Danse, George Balanchine comme maître de ballet. Sans succès. En revanche, il a engagé Serge Lifar en 1930 comme Étoile, puis comme maître de ballet et chorégraphe. Mais Lifar, qui s'est dévoué corps et âme au service de la Compagnie, dont le seul amour est la danse, ne semble pas devoir survivre au départ de Rouché.

Après un procès d'épuration honteux qui divise la Maison, il est exclu à vie de l'Opéra, peine qui sera révisée et commuée en un bannissement d'un an. J'étais trop jeune à l'époque pour avoir pleine conscience des événements. Je sais que pendant ces séances, qui se tenaient dans le palais Garnier, au Studio Chéreau, Lifar fut défendu par ses danseurs, et tout particulièrement par Nicolas Efimoff et par Yvette Chauviré, qui vint témoigner en tenue de scène. Rita Thalia, anglaise et juive, avait été camouflée, tout comme son époux Max Bozzoni, par Lifar pendant les années noires, et ce n'étaient probablement pas les seuls.

Maurice Lehmann succède à Rouché avec la difficile mission de remettre la Maison en état de marche. C'est un véritable homme de théâtre, qui est passé par le Conservatoire, la Comédie-Française et le Théâtre du Châtelet, beau parcours, mais même pour ce grand professionnel la tâche est rude.

Lifar est omniprésent. Seule la vieille garde, menée avec panache par Carlotta Zambelli et Albert Aveline, lui a résisté et ce tandem assure pour quelques mois encore le quotidien.

Je garde précieusement mon premier contrat qui sti-

pule que le port de la moustache et de la barbe est interdit !
C'est une mesure imposée par Serge Lifar lors de son arrivée à l'Opéra. Il y avait à cette époque dans le corps de ballet beaucoup de ballerines et peu de danseurs. On recrutait
un peu partout des « extras » pour la figuration et un homme
respectable portait toujours barbe et moustache, seuls les
acteurs et les garçons de café étaient glabres. Lifar fut hor-
rifié de voir sur le plateau ces figurants de tous poils et fit
rajouter cette mention dans les contrats. Peu à peu, il déve-
loppa à l'Opéra la danse masculine et recruta nombre de
très bons danseurs, souvent d'ailleurs formés par Gustave
Ricaux.

Nos mensualités sont maigres, le ravitaillement toujours rare et cher, Max Bozzoni et Lucien Legrand, délégués
du ballet, finissent par obtenir pour nous une augmentation.
À l'époque chaque tournée était négociée et les défraie-
ments variables. Les revendications portaient uniquement
sur les salaires, nous ne pensions même pas qu'il était possible de revendiquer autre chose.

Janine Schwarz est le professeur des deuxièmes quadrilles. Elle m'offre un cadeau sans prix, le plaisir de danser, le goût du mouvement, la recherche idéale de la grâce.
Sa personnalité très douce, sa façon de s'adresser à chaque
élève, ses explications très pédagogiques, et fondées non
pas sur la reproduction du mouvement mais sur son sens,
obtiennent beaucoup de nous, un investissement important
dans l'effort demandé.

Elle est la seule à éviter les réflexions blessantes qui
sont alors prodiguées aux élèves par bien des professeurs,
qui pensent que fustiger ces bonnes à rien et rabattre leur
caquet est la meilleure des pédagogies.

Les cours du matin sont donnés par Suzanne Lorcia
pour le premier quadrille, par Mauricette Cébron pour les
coryphées, par Albert Aveline pour les petits sujets et enfin
par Carlotta Zambelli pour les grands sujets. Autant d'éche-

lons de la hiérarchie du corps de ballet qu'il s'agit maintenant de gravir.

Cette hiérarchie, qui est une des caractéristiques du Ballet de l'Opéra, existe ailleurs. Le Ballet du Théâtre Impérial en Russie comptait lui aussi, autrefois, quatre grades : coryphée, deuxième danseur, premier danseur, Étoile ou Prima Ballerina. Ils furent supprimés au moment de la Révolution, mais la direction des grands théâtres de Moscou et de Saint-Pétersbourg pense aujourd'hui les rétablir sous une forme légèrement simplifiée.

Aveline cumulait les fonctions, maître de ballet, chorégraphe, professeur. Il était aussi le directeur de l'École où il nous causait une peur panique avec ses airs bourrus et son vocabulaire imagé, nous affublant avec sa grosse voix de petits noms charmants d'oiseaux et autres animaux, nous traitant de trublions en nous fixant de son regard bleu très clair. Excessivement nerveux, petit et rond, il avait au cou une énorme cicatrice. Toujours impeccablement vêtu d'un costume croisé bleu marine, cravaté, chaussé de gros croquenots aux semelles plates, il arpentait les couloirs en marchant en canard. Il donnait ses cours en tenue de ville, à l'époque d'ailleurs seul Lifar travaillait en polo et en collant. Très réservé et très précis, il aimait les danseuses de petite taille, spécialisées dans la rapidité du mouvement, la batterie, et s'attachait tout spécialement au travail du bas de jambe.

Sa façon de faire répéter était différente de celle pratiquée aujourd'hui. Plus monotone, reprenant les mêmes chorégraphies d'un répertoire toujours recommencé, et que nous montraient les anciennes de la Compagnie, assurant pour les générations suivantes le phénomène de transmission. Georgette Rigel, Rita Thalia, Odette Sianina, Jeanne Gerodez m'ont ainsi appris les ballets de Léo Staats. Carlotta Zambelli, avec laquelle Aveline formait un couple mythique, aux rapports mystérieux, assistait souvent aux répétitions. Assise sur le banc devant la glace, dans la

Rotonde qui porte maintenant son nom, elle l'apostrophait de sa voix aiguë avec un fort accent « C'est pas ça Aveline ! » et alors qu'il continuait, imperturbable, elle s'adressait en aparté à une des interprètes : « Viens ici que je te dise quelque chose. C'est pas ça du tout ce que t'a montré M. Aveline. »

Puis, la répétition terminée, ils partaient bras dessus-bras dessous chez Souris, notre bistro attitré, où ils déjeunaient ensemble tous les jours, ne parlant que de danse, unique sujet de leur dévorant amour. Leurs vies étaient si liées qu'ils moururent l'un après l'autre, à une semaine d'intervalle, en 1952. Léo Staats disparut la même année. Ces trois protagonistes avaient marqué l'histoire du Ballet de l'Opéra pendant près de trente ans. Il ne reste que fort peu de choses d'eux aujourd'hui. Heureusement, la Rotonde où Carlotta régnait, au palais Garnier, a été baptisée « Rotonde Zambelli », et la grande mademoiselle est ainsi invoquée quotidiennement par nos danseurs.

Si je m'entends bien avec Aveline, il n'en ira pas de même quand je passerai dans la classe de Zambelli. L'antipathie est mutuelle, elle me méprise et ne manque pas une occasion de me rappeler qu'à son avis ma place est plutôt au Casino de Paris, étant donné la façon éhontée dont je lève les jambes. Chaque soir de représentation de ballet, Zambelli et Aveline assistent au spectacle, au bout du premier rang de balcon côté jardin. Le lendemain matin, au cours, nous avons « revue de décor ». Zambelli fait critiques et corrections, reprend les variations, ce qui constitue, plus qu'un enchaînement de pas au milieu, une répétition supplémentaire extrêmement utile du spectacle programmé. Elle m'apprend l'attaque du mouvement, la vivacité et la rapidité, qui sont les caractéristiques de l'école italienne dont elle est issue. C'est un style difficile, particulièrement pour les danseuses de grande taille dont je suis.

Carlotta Zambelli a un charme fou… quand elle le veut bien. Elle n'en impose pas par son physique, car elle a plutôt l'air d'une sèche dame patronnesse avec ses bandeaux gris, ses talons plats et ses jupes longues, mais par son savoir et son autorité.

Elle se permet un seul moment de détente, après la barre, au Foyer de la Danse. Nous nous asseyons autour d'elle et nos aînées, Thalia et Rigel, lui racontent des anecdotes de leurs vies d'épouses et de mères. Elle aime ces histoires de famille, peut-être parce qu'elle n'a ni mari ni enfant...

Le premier spectacle auquel je participe dans le corps de ballet est, comme je l'ai dit, *Faust* dont j'avais été rassasiée pendant mes années d'École, je n'y trouve donc ni nouveauté, ni pari à tenir.

Il faut dire qu'une fois entrées dans la Compagnie, dans le deuxième quadrille, on attend peu de nous. Il n'y a pratiquement pas de créations. À l'exception des fameux « mercredis de la danse » imposés par Lifar, il n'existe pas de soirées entièrement consacrées au ballet. L'ancien répertoire règne, ainsi que les nombreux divertissements d'ouvrages lyriques, *Faust, Thaïs, Roméo et Juliette, Aïda, Othello, Rigoletto*...Toutes ces chorégraphies, ou presque, sont de Léo Staats, elles ont été remaniées, adaptées, reprises au fil des ans par Aveline, mais témoignent toujours du vocabulaire et du style en vigueur à l'époque à l'Opéra.

Seul Patrice Bart, aujourd'hui maître de ballet de la Compagnie, témoigne encore du savoir de cette école française qui fait appel au travail du bas de jambe et à tous les pas de batterie, et les utilise. Gustave Ricaux, comme plus tard Serge Peretti, donnait alors quotidiennement au cours des séries d'entrechats – six pour les filles comme pour les garçons –, ce qui se fait maintenant uniquement pour les garçons et bien moins couramment, sauf à l'École où les élèves à partir de la seconde division exécutent une série d'entrechats à la fin du cours.

Pour les reprises de ces quelques œuvres, les répétitions sont peu nombreuses et courtes, deux heures suffisent.

Tout va de soi et la routine prévaut. Aveline, notre maître de ballet, opère à la Rotonde. Nous, les jeunes, remplaçantes en puissance, n'avons pas droit à la station debout et au mouvement, car dans la salle de répétition aussi règne une sévère hiérarchie. Nous sommes assises au fond du studio et censées apprendre tous les enchaînements en regardant le dos de nos aînées.

Aussi quelle panique quand il faut tout à coup remplacer une titulaire ! La solidarité joue alors à plein. J'ai ainsi pris à l'improviste le rôle d'Odette Sianina dans *Soir de fête*, au radar et à la parlante, poussée, guidée, rattrapée par le reste du corps de ballet. Se tromper, dans ces circonstances extrêmes, est sévèrement puni par une relégation dans le fond de la scène et les derniers rangs pendant une période plus ou moins longue.

À cette époque, la hiérarchie, telle l'étiquette à la Cour d'Espagne, pèse lourdement sur la « carrière » des danseurs.

Les jeunes ont une faible chance de promotion tant que la roue du temps ne les a pas quelque peu écrasées.

Ma génération, qui atteint l'adolescence dans l'immédiat après-guerre, supporte d'autant plus mal cette prééminence des « vieilles ». Ô cruauté ! ces « vieilles » que nous stigmatisons n'ont pas… trente ans. Mais le fossé a été creusé par la guerre et l'étau de l'Occupation, par la Libération et le défoulement de la fin des années 40. Nos aînées, pour bon nombre d'entre elles, sont de charmantes femmes, modestement entretenues, qui, tenues de danse et chaussons remisés avec soin, sortent du palais Garnier à quatre heures de l'après-midi pour investir les nombreux salons de thé du quartier. Les quelque deux ou trois représentations par semaine, le cours quotidien, les petits raccords pour un répertoire étroit, toujours recommencé, les contentent.

Quant à nous, nous brûlons d'envie de conquérir le monde, de tenter de nouvelles expériences dans tous les domaines, de croquer la vie.

Pour cela, je prends conscience, petit à petit, qu'il faut travailler avec acharnement, sortir de l'anonymat du corps de ballet, ce qui veut dire, entre autres, accéder à l'indépendance financière et donc au pouvoir de dire non.

Pourtant aujourd'hui, en me retournant vers cette période et sans nostalgie aucune, cette hiérarchie rigide me semble avoir eu quelque vertu, et d'abord celle de donner un rang. Le quadrille est un endroit de passage où on ne s'attarde pas, puis viennent les échelons à grimper. Même arrivées au seuil de la voie royale qui mène au rang convoité de première danseuse et pourquoi pas d'Étoile, les grands sujets ne sont pas traitées comme les petits sujets. Chacune a une place, la trouve et s'y installe. Une fois la hiérarchie abolie apparaîtront les clans, qui n'existaient pas auparavant.

Le clan n'a rien à voir avec un parcours lié au mérite ou à l'ancienneté, n'est pas non plus un clivage esthétique, comme celui qui existait entre les lifariens et les traditionalistes, mais un système fondé sur l'exclusion. Tout individu n'entrant pas dans le groupe, avec ses bobards et ses racontars, est mis de côté. J'ai découvert tardivement cette plaie.

Mon entrée dans le Ballet n'a fait qu'aggraver mes problèmes d'adaptation. Je sens que je détonne, je parle trop et trop haut, et surtout je dis ce que je pense. L'atmosphère de compétition et le règne des rumeurs m'asphyxient dans ce milieu communautaire fermé, régi par l'interdit.

Il semble qu'accepter la discipline ne soit pas suffisant, il faut en plus adhérer à une façon de penser. Les alertes ne manquent pas et les sanctions tombent.

Dès la première année, je suis passée de deuxième quadrille à premier quadrille lors d'un examen qui s'est tenu exceptionnellement au mois de juin, c'est-à-dire six mois après mon engagement. La saison suivante, sautant la classe des coryphées, je suis devenue petit sujet à la faveur d'un examen obligatoire au cours duquel tout le Ballet a dû présenter les deux mêmes variations imposées, celle d'Hélène dans le ballet de *Faust* et celle du premier acte de *Giselle*. J'ai même été remarquée par le critique Jean Dorcy, qui a écrit à mon sujet : «Bessy dont l'exemplaire taille de ballerine laisse rêveur.» Ce qui m'a flattée et agacée à la fois, flattée d'avoir été remarquée, agacée de l'avoir été pour mon physique. C'est un bel avancement, mais qui va bêtement être remis en cause.

Albert Aveline vient de monter le divertissement de *Castor et Pollux* de Rameau pour des fêtes à Versailles. Maquillés et costumés, nous arrivons par le grand escalier, parcourons les salons du château et entrons sur une scène montée dans la galerie des Glaces. Le public est massé tout au long de ce parcours et, pour l'animer, l'orchestre doit reprendre la musique quatre fois. Quelques jours plus tard, le ballet est donné au palais Garnier. Dans les coulisses nous nous écrasons, encombrées de nos grandes robes à panier et de nos perruques empanachées. Que se passe-t-il avec le chef d'orchestre? Personne ne l'ayant averti des modifications apportées pour l'Opéra, une fois le ballet terminé il reprend *da capo*. Après une minute d'affolement, nous recommençons dignement. À la troisième reprise-surprise, le fou rire gagne le plateau. Secouée d'hilarité, je perds ma perruque et mes plumes et apparais le crâne couvert d'un bas. Micheline Grimoin, qui me suit, veut m'aider à récupérer ma coiffure et ma dignité, maladroitement nous nous écroulons toutes deux. Aveline est furieux, la sentence tombe à la fin de la saison, sous forme d'un avis affiché au tableau de service. Nous sommes rétrogradées et je dois redescendre dans la classe des coryphées.

La sanction est d'autant plus cruelle qu'elle arrive «à retardement», et que je l'apprends par une camarade dont la bienveillance à mon égard est plus que douteuse.

Catastrophée, je vais présenter mes excuses à Aveline. Il me promet un adoucissement de peine, sous condition :

« Si tu te tiens bien pendant la tournée aux États-Unis, tu reprendras ta place. »

Mais la malchance me poursuit et, à New York, au cours d'un spectacle de *Palais de cristal*, je me trompe. Aveline se précipite sur moi lorsque je sors de scène et un fou rire incoercible me secoue. J'ai la peur de ma vie et pourtant je continue à hoqueter. Il me fera grâce et à la rentrée suivante je retrouverai ma place chez les petits sujets, mais l'incident m'a marquée et j'en ai longtemps tremblé d'angoisse.

Quelques mesures de Balanchine

Maurice Lehmann donne sa démission après quelques mois difficiles, comme il l'a lui-même raconté. Grâce à ses efforts et à son talent, la Maison avait retrouvé son fonctionnement. Enfin, note-t-il amèrement, tout rentra dans « l'ordre normal des choses » et les grèves se succédèrent et paralysèrent la programmation. Le nouveau directeur, Georges Hirsch, décide de faire venir George Balanchine pour quatre mois au cours desquels il montera quatre ouvrages : *Sérénade*, *Apollon Musagète*, *Palais de cristal*, *Le Baiser de la fée*, dont les trois premiers sont toujours au répertoire. Balanchine est alors installé aux États-Unis, où il créera quelques années plus tard le New York City Ballet. Il nous arrive avec deux ballerines, son épouse Maria Tallchief et Tamara Toumanova, qu'il a fait engager comme Étoile. On lui doit aussi l'entrée dans la Compagnie d'Alexandre Kalioujny.

À l'Opéra, ma première chance se nomme donc George Balanchine. Je le revois, tel que je l'ai toujours connu, mince, élégant, le même allant, le même rythme. Dans un visage peu mobile, les yeux attentifs, les dents de lapin, la voix légèrement éraillée, parlant un mélange de français et de russe. Lorsqu'il arrive, en 1947, pour monter *Sérénade*, il demande tout de suite à voir les « jeunes », dernières arrivées dans le Ballet. Il nous distribue, Micheline Grimoin et moi, dans des moments chorégraphiques où nous intervenons seules. Nous avons quinze ans, sommes heureuses de travailler, de nous montrer et d'autant plus souriantes. Il nous stupéfie en nous imposant l'impassibilité qui est de mise dans sa propre Compagnie, bien éloignée de la culture Opéra de cette époque. Les costumes, tuniques de couleur pêche doublées de bleu pâle, les volumineuses coiffures ornées d'un voile, les longs gants blancs dessinés par le costumier André Delfau nous ravissent. Balanchine aurait-il cédé au vent de la mode qui souffle sur Paris dans les années d'après-guerre ? Quand il chorégraphie *Palais de Cristal*, pour lequel je danse dans le corps de ballet, avant de tenir un jour prochain les rôles de solistes, il accepte aussi les splendides tutus, brodés et pailletés, aux vives couleurs, dessinés par Leonor Fini.

Nous sommes vues, reconnues, identifiées ; la presse, les photographes nous sollicitent. Léandre Vaillat, écrivain et précieux témoin de cette époque, sur laquelle il écrira deux livres, m'a remarquée : « Mlle Bessy, puisqu'aussi bien elle vient de passer de la classe des petits sujets à celle des grands sujets, fait figure originale par la sveltesse particulière, acidulée de sa conformation physique ; on a vu ce qu'un chorégraphe tel que M. Balanchine pouvait obtenir d'elle dans *Sérénade* de Tchaïkovski, où en deux jetés d'une grande hardiesse, s'achevant en ciseaux, elle trouva le moyen de déterminer une vibration dramatique », et encore : « Les bonds hardis de Mlles Grimoin et Bessy interviendront comme une revendication de la jeunesse ».

La hiérarchie, son étiquette et sa cascade de remplacements sont attaquées mais loin d'être abattues, puisque lorsque Lifar tente pour la reprise de 1949 d'imposer Josette Clavier dans le rôle principal d'*Entre deux rondes*, celui de

La Danseuse de Degas, créé par une Étoile, Solange Schwarz en l'occurrence, le Ballet se met en grève. Mais Lifar tient bon et distribuera ensuite bien des jeunes dans *Blanche Neige*. Par contre, pour l'ancien répertoire dont il est le garant, Aveline respectera jusqu'à son départ le principe de la hiérarchie. Il faut attendre que le temps ait fait son œuvre dans les mentalités pour que Raymond Franchetti, puis Rudolf Noureev, en tant que directeurs de la danse, réussissent à abolir une coutume devenue obsolète. Cette hiérarchie était défendue âprement par le Ballet lui-même alors que les responsables étaient prêts à l'abroger.

Progressivement, les remplacements de classe à classe se sont assouplis, mais tout est relatif : hier nous étions dans le carcan de la hiérarchie, aujourd'hui les danseurs sont soumis au choix du prince.

Ce moment constitue ma première vraie prise de conscience. L'intérêt que me témoigne Balanchine, personnage à l'époque respecté dans le Ballet, ses recommandations et le dernier encouragement qu'il me prodigue avant de repartir à New York, m'assurant que si les choses n'allaient pas bien pour moi il m'attendait aux États-Unis, m'amènent à réfléchir sur la façon dont j'envisage mon métier.

Ce moment d'enthousiasme ne dure pas et la routine reprend vite ses droits. Près de dix ans plus tard, le critique Olivier Merlin rappellera ces temps heureux dans un article du *Monde* : « Qui ne se souvient aussi bien du merveilleux rayonnement que Balanchine avait communiqué aux quadrilles, espoirs de demain, lors de son passage-éclair au palais Garnier… »

Étrange écho traversant le temps, Balanchine, visitant l'École de Danse dont je suis maintenant la directrice, tiendra les mêmes propos à une de mes élèves, nommée Sylvie Guillem…

Du temps de Serge Lifar

Balanchine envolé, Lifar revient. Il faut une direction pour le Ballet où le désenchantement s'installe vite. Le retour de Serge Lifar est souhaité par tous ceux qui ont travaillé avec lui et par une grande partie du public. Alors que la Compagnie retombe dans un état « d'atonie », Vaillat analyse la situation : « Le climat politique y était pour quelque chose ; l'Art n'a rien à gagner aux traumatismes de l'idéologie, la désaffection que le corps de ballet semblait manifester à l'égard d'une destinée qui le dépasse tenait à l'exil de M. Serge Lifar, dont les adversaires ne discutaient pas le style, ni la vibration qu'il avait su communiquer à la troupe, ni le lyrisme où il l'avait immergée et maintenue. »

Je rencontre Serge Lifar pour la première fois dans un café voisin de l'Opéra, Chez Souris, rue des Mathurins, où le corps de ballet tient des réunions destinées à monter une stratégie pour obtenir sa réintégration.

Je suis une très jeune fille, lui un danseur et un chorégraphe célèbre, peu importe, je l'assaille de questions sans aucune timidité.

Le Ballet réclame sa grâce et l'obtient, il revient en

1947 comme maître de ballet et deux ans plus tard comme danseur Étoile. Applaudissements et protestations partagent à nouveau un palais Garnier qui n'a pas retrouvé le calme et navigue tant bien que mal entre les grèves.

Lifar rentre à l'Opéra, nous le suivons avec fougue. Il est beau, passionnant, son rayonnement est immense, il vit pour la Danse, et ajoute à une présence continuelle dans la Maison — on dit même qu'il y couche — une facilité d'abord, une écoute, un goût inné pour la pédagogie. Son amour de la danse est exclusif, rien d'autre ne l'intéresse dans l'existence. Il va nous séduire, nous motiver et toujours nous entraîner à sa suite. Sa plus grave injure est de nous traiter de « Ballet d'Angoulême », qu'avait-il donc contre Angoulême ?

Son langage, autant que sa personne, est séduisant, mélange de russe et de français, articulé avec un bel accent. Il nous fait travailler sans grandes phrases, mais avec des leitmotivs. Combien de fois ai-je ainsi entendu « Faites Bessy, faites ! » C'est un charmeur trouvant pour chacun le mot adéquat qui ouvre les portes du cœur.

Toutes les péripéties qui déchirent le théâtre et font le bonheur de la presse ne m'affectent guère encore. J'ai quinze ans, je viens d'entrer dans le Ballet, l'Opéra est ma maison et le monde est grand.

Dans cet après-guerre qui remet de l'ordre dans un monde bouleversé, on passe de nouveau les frontières. Je m'aperçois que l'Opéra m'offre d'infinies possibilités de voyages. Nous avions commencé par quelques représentations en mai et juin 1945. À l'invitation du général de Lattre de Tassigny, le Ballet va danser pour les troupes françaises à Strasbourg, puis nous irons à Constance et Stuttgart. La grande Étoile de cette tournée fut Lycette Darsonval, qui raconte d'ailleurs dans ses mémoires comment elle y fit la connaissance de son futur mari. Les péripéties commencèrent pour elle dès le départ. Notre chauffeur de car l'a attendue quarante-cinq minutes devant les grilles de la petite cour du palais Garnier pendant que nous chahutions dans son véhicule. Au moment où, furieux de ce retard et probablement saoulé par notre vacarme, le brave homme démarra, nous la vîmes arriver en taxi. Elle n'eut d'autre solution que de suivre le car qu'elle ne put rattraper qu'au premier arrêt pipi. Son énervement atteignit un point culminant lorsque le taxi lui présenta une note plutôt salée. J'allais en faire bien d'autres lors de ce voyage, avec Pierre Lacotte et Raoul Bari, de fameux fantaisistes, notamment en emballant le lit de Micheline Bardin dans du papier toilette, plaisanterie éculée dont tous les pensionnaires se sont délectés.

Éliane Bizet est ma co-turne. J'ai le goût des farces et attrapes et le sommeil d'airain qui conviennent à mes quinze ans. Éliane, de son côté, a les distractions de son âge. Elle disparaît tous les soirs et ne rentre que fort tard ou très tôt. Une nuit elle oublie sa clé, frappe discrètement, ouvertement, puis à coups redoublés. Nos camarades sortent de leur chambre. Un congrès se tient dans le couloir, un des garçons finit par passer par la fenêtre de la pièce voisine, puis dans la salle de bains avant de pénétrer à l'intérieur de la chambre où je dors toujours. Il ouvrira la porte de l'intérieur à Éliane, elle se couchera rompue, je n'entendrai rien et ne m'étonnerai même pas lorsqu'on me racontera cette aventure au petit déjeuner.

Je traversai ensuite les frontières pour une tournée à Copenhague. Ce fut le festival des premières fois : premier vrai voyage à l'étranger, première tenue de soirée – robe longue blanche à bouillonnés, assortie de gants longs (je la vois encore), et première et dernière cuite. Au dîner de gala donné en l'honneur du Ballet à l'Ambassade de France se succédaient les discours et les toasts. En toute innocence, ravie d'être là, un peu perturbée cependant par les couverts à poisson dont j'ignorais l'usage, je vidais mon verre cul sec à chaque skol, sans savoir que le liquide transparent qu'il contenait, assez désagréable au goût, était ce dangereux aquavit.

À la fin du dîner je n'ai pas pu quitter la table. En affectant de me faire faire un tour de valse, Max Bozzoni a réussi à me ramener élégamment jusqu'à la sortie. Mado m'a couchée. J'ai naturellement été atrocement malade, ce qui m'a guérie à jamais des méfaits de la boisson.

Madeleine Clay, dite Mado, que je n'ai pas encore évoquée, est ma seule amie dans le Ballet. Elle a douze ans de plus que moi, est la maman d'un petit garçon et m'a prise sous son aile. Quelques années plus tard, elle mourra prématurément en se noyant. C'est un vrai chagrin, et beaucoup de solitude jusqu'à l'arrivée de Claire Motte.

Pendant ces deux représentations exceptionnelles, au cours desquelles nous avons dansé *Istar*, *Suite en blanc* et *Palais de cristal*, nous avons rencontré Harald Lander, maître de ballet du Royal Danish Ballet, qui sera bientôt engagé à Paris.

Mieux encore, plus loin encore, nous partons en tournée aux États-Unis, à l'occasion du Jubilé de New York de 1948. C'est un voyage au long cours au parfum de grandes vacances qui nous mène d'abord en train de la gare Saint-Lazare à Liverpool, puis à bord de paquebots semblables à des villes flottantes où nous nous amusons beaucoup, que ce soit à l'aller *L'Empress of Canada*, ou au retour le *De Grasse*, à bord duquel je fêterai mon seizième anniversaire. Mon père m'a émancipée pour ce voyage, apportant lui-même à Lifar l'autorisation parentale et lui confiant sa fille. La liberté est à moi. Après des années de privations, je découvre l'abondance, les boutiques, les nourritures appétissantes et copieuses, les parades et les fêtes de rue, la mythique Amérique. Quarante-cinq danseurs sont en goguette, toutes les Étoiles, sauf Lycette Darsonval restée à Paris, les premiers danseurs, les sujets grands et petits et les deux premiers coryphées. Aveline, Lifar, les régisseurs, les chefs d'orchestre Robert Blot et Richard Blareau nous accompagnent. Nous présentons quinze ballets : dix de Lifar, quatre d'Aveline et un de Balanchine, le fameux *Palais de cristal*.

La solidarité entre danseurs français et américains existe et le bouche-à-oreille marche à plein. Sur les conseils de nos camarades nous nous gavons de cours, à l'American Ballet Theatre, chez Balanchine, à Broadway. À cette époque nous partions en tournée sans professeurs, chacun s'arrangeait pour attraper un cours au vol.

À cause des « unions » américaines, ultraprotectrices, les techniciens de l'Opéra ne peuvent pas exercer leur métier. La directrice des ateliers de costumes, Geneviève Thiébault, distribue le travail aux habilleuses new-yorkaises. Avec un physique à la Béatrice Bretty, c'est un cœur d'or et une forte en gueule, une immense professionnelle qui a travaillé avec Christian Bérard et avec tous les grands costumiers.

À notre arrivée dans la Compagnie nous avions peur d'elle, mais très vite nous l'avions apprivoisée et nous en obtenions tout. Mme Renée Trosseau lui succédera avec la même compétence. Le Service des Costumes de l'Opéra est magnifique, il incarne la grande tradition de la Maison, il s'en détache des fées comme Mme Marie qui faisait tous nos tutus pour les spectacles et les tournées. Petit à petit, ces costumes de rêve rempliront les caves de mes diverses maisons.

Au début de la tournée, à Montréal, Serge Lifar me fait savoir un soir, via Max Bozzoni, qu'il m'emmènera à la réception donnée à l'Ambassade de France. Naturellement je n'ai rien à me mettre de convenable pour l'occasion, ce qui me mortifie beaucoup. Je me drape dans une sorte de sari et je clopine sur mes talons hauts derrière le Maître, mi-faune-mi-félin, car il a décidé que nous irions à pied. Évidemment nous nous perdons, mais durant cet interminable trajet nous faisons mieux connaissance, nous rions beaucoup, Serge me raconte Monte-Carlo et la vie libre du Ballet sous les palmiers, au bord de la Méditerranée, quel rêve !

La glace est brisée, l'habitude se prendra et nous sortirons souvent ensemble dans les réceptions officielles, dans les salons, dans les cabarets russes… Pourquoi moi alors, je ne l'ai jamais su. L'année suivante Nina Vyroubova a été engagée comme Étoile pour remplacer Yvette Chauviré, suspendue pour de stupides problèmes administratifs et qui nous avait quittés. Nina est d'origine russe et Serge peut parler avec elle sa langue maternelle, elle sera à son tour une de ses escortes préférées et fréquentera comme moi les soirées slaves du Shéhérazade et les dîners chez Marie-Laure de Noailles. C'était la fin d'un monde, les derniers sursauts de l'époque désormais légendaire de Diaghilev et des Ballets Russes.

À New York comme à Paris règne la cabale, alimentée par les détracteurs de Serge Lifar pour des raisons politiques, mais aussi par George Balanchine qui n'a pas oublié qu'après la mort de Diaghilev Lifar lui a enlevé sans coup férir le poste de maître de ballet à l'Opéra. Pour brocher sur le tout, les Ballets de Monte-Carlo, dirigés par le marquis de Cuevas depuis que Lifar les a quittés pour revenir à l'Opéra, sont là eux aussi. Ils dansent au Metropolitan Opera et nous au City Center. Des manifestants défilent devant le théâtre avec des pancartes. Enfermé dans une loge, le Maître est tenu informé minute par minute de l'évolution des événements par ses danseurs. Je suis distribuée dans *Le Chevalier et la damoiselle*, dans *Mirages* et dans *Palais de cristal*. Pendant toute la série de spectacles Lifar restera fort prudent, jouant l'incognito, évitant de se montrer sur scène et s'abstenant de venir saluer.

Je vais m'attacher à Lifar, en faire une sorte de père spirituel. Il comble mon désir d'apprendre et me confie très tôt quelques responsabilités, de façon informelle, comme de lui servir d'aide-mémoire lors des répétitions.

Rite quotidien, tant qu'il dirigera le Ballet je ne manquerai jamais de passer le voir dans son minuscule bureau cagibi du premier entresol avant de quitter le palais Garnier.

Inconsciemment, je prends ainsi position dans un clan, celui des « lifariens », qui fait face au clan des « traditiona-

listes » mené par Zambelli et Aveline, et plus tard à celui des
« créateurs », mot jusqu'alors réservé, au singulier et avec
une majuscule, au Très-Haut, et inconnu dans les milieux du
spectacle. Le terme est maintenant galvaudé, son omnipré-
sence aujourd'hui sur les feuilles de distribution reste pour
moi un sujet d'étonnement.

De retour à Paris, le train-train quotidien ne me suffit
plus, je suis très mal payée et médiocrement occupée. Je
suis jeune, j'ai des problèmes familiaux, j'ai envie de vivre
et j'ai besoin d'argent !

Je participe donc aux tournées organisées par Serge
Lifar et Georges Hirsch dans toutes les villes de France et
de Navarre. On les appelle « les tournées du jeudi ». Les
spectacles chorégraphiques ont lieu au palais Garnier à jour
fixe, le mercredi. Aussi le soir même, ou le jeudi matin très
tôt, mal démaquillés, mal réveillés, nous nous retrouvons
sur le quai de la gare. Nous voyageons le plus souvent en
train de nuit, découvrant le théâtre et sa scène au dernier
moment. Cela n'entraîne certes pas richesse et luxe, mais
un petit plus et de grands fous rires.

Il y a Nina Vyroubova, Max Bozzoni, Liane Daydé,
Michel Renault qui, dès qu'il a le pied dans le train, colonise
une banquette, se bande les yeux et s'endort jusqu'au termi-
nus, et Lifar, qui a l'œil à tout, dort n'importe où, rattrape
tous les imprévus, a le génie de l'improvisation. Lifar, que
j'écoute avidement me parler du monde magique des Ballets
Russes, attablé dans des cafés impossibles où il avale des
tranches de gruyère tartinées de moutarde, lavées à grandes
tasses de thé.

Nous dansons *Pas et lignes*, *Les Fourberies de Scapin*,
Le Cygne…, des chorégraphies du Maître ou adaptées par
lui, et des pas de deux du répertoire classique. Jean Laforge,
compagnon idéal des danseurs dans le travail comme pour
les fous rires, nous accompagne au piano et meuble entre
chaque prestation. Il va bientôt entrer à l'Opéra et y devenir
un célèbre et respecté chef des Chœurs. Jules Oudart, régis-

seur général du palais Garnier, et Georges Hirsch qui sait tout faire dans un théâtre, aussi bien le directeur que l'éclairagiste, s'occupent des lumières avec les moyens du bord.

Le retour est moins amusant. Nous rentrons à Paris après le spectacle, par un de ces trains de nuit sales et malodorants que la SNCF a supprimés depuis. Dans la nuit, le froid et l'humidité, poussant ma grande valise déglinguée, je grelotte avec mes camarades sur un quai de gare désert. Le train est d'une lenteur désespérante et s'arrête partout. Lifar dort, allongé par terre dans le couloir. Tout à l'heure le buffet de la gare était fermé et nous n'avons rien à manger, sauf les morceaux de sucre que Serge nous offrira en les tirant du grand sac en papier qui ne le quitte jamais.

Pourtant, j'aime ces tournées, aussi peu confortables soient-elles, elles comblent un petit peu le vide de la programmation de l'Opéra et plaisent à mon esprit d'aventure.

Grand animateur, Lifar est aussi un grand pédagogue. Le cours d'adage qu'il a institué en 1932, peu de temps après son arrivée, pour combler une lacune grave dans l'entraînement à l'Opéra, constitue un des meilleurs apprentissages. J'ai jalousement préservé cet enseignement et lorsqu'aujourd'hui, après un demi-siècle, je vois cette leçon donnée à l'École, je sais transmettre son héritage.

Le cours d'adage, donné traditionnellement le lundi matin à la Rotonde, était à l'époque le seul cours mixte où danseurs et danseuses s'entraînaient ensemble pour les pas de deux, apprenant à être des partenaires. Peu à peu, d'une simple leçon, il devint pour Lifar un atelier chorégraphique.

En me voyant travailler avec un danseur du Ballet, Jean-Bernard Lemoine, Lifar décide de me faire danser *Aubade*, un pas de deux qu'il avait à l'origine chorégraphié pour Zizi Jeanmaire et Vladimir Skouratoff sur une musique de Francis Poulenc, et le présente lors des nombreuses conférences qu'il donne à la Sorbonne, à la maison de la Chimie, aux Jeunesses musicales Salle Pleyel... Ces soirées, où discours et danse alternent, sont très agréables, Lifar les multiplie dans son grand désir de faire découvrir et aimer la danse à des publics très variés.

Il trouve un plaisir non dissimulé à cet exercice et créera dans ce but, comme pour promouvoir toute manifestation liée à la recherche historique et pratique, l'Institut chorégraphique, puis l'université de la Danse. Certes ces tribunes lui sont d'abord réservées et sa personnalité puissante laisse peu de place à d'autres intervenants, jusqu'à qu'il soit, lui aussi, passé de mode, le public le suivra avidement.

Mes pensées ne se tournent pas uniquement vers la danse, j'ai beaucoup d'amis comédiens, dont Robert Hirsch et Jacques Charon, ou encore Robert Manuel qui chaque saison organise un spectacle pour le Cercle Carpeaux au sein duquel se réunissent les mécènes de l'Opéra. Je participe joyeusement à ces représentations pleines de fantaisie, au cours desquelles les comédiens dansent et les ballerines chantent. Micheline Boudet et Robert Hirsch ont d'ailleurs commencé par être petits rats de l'Opéra avant de poursuivre une carrière d'acteurs. Brigitte Bardot passera des classes de danse du Conservatoire aux plateaux de cinéma. Quelques années plus tard, Geneviève Casile débutera elle aussi comme danseuse, dans la première compagnie montée par Maurice Béjart.

Pierre-Aimé Touchard m'offre d'entrer au Théâtre-Français, dont il est l'administrateur. Ce n'est pas rien, j'hésite. Qu'en pense le Maître ? Le Maître me persuade que rien ne vaut l'Opéra, que nul chemin n'égale celui que j'ai poursuivi jusqu'alors. J'entends encore sa voix me répétant : « Faites Bessy, faites ! »

À partir de ce moment, le choix est accompli, mon destin est scellé, je serai danseuse, mais je m'autoriserai tout de même bien des escapades.

Serge, puissance trois :
Lifar, Golovine, Peretti

Dans notre petit monde clos, les nouveaux arrivants sont de délicieux sujets de conversation.

Jean Babilée fait des allers-retours au sein de la Compagnie depuis 1943, il est atypique dans sa façon de penser, de vivre et de bouger. Formé chez Boris Kniaseff, il a une danse libre, des qualités de saut fabuleuses. Dans la Compagnie on le regarde comme une bête curieuse, indomptable, désinvolte, sans aucune discipline. C'est un oiseau de passage, qui prendra bientôt son vol pour d'autres horizons.

Serge Golovine est engagé dans le Ballet en 1946. Il est, lui aussi, d'une autre manière, profondément original. Né dans une famille d'artistes – ses deux frères et sa sœur seront danseurs – c'est un exemple de régularité et d'acharnement au travail. Sa barre, qu'il fait trois fois par jour, est magnifique. Il l'a héritée de Gustave Ricaux, l'a travaillée avec Serge Lifar à Monte-Carlo et ciselée à l'Opéra avec Carlotta Zambelli. Sa beauté, certaine, s'allie à une parfaite dignité, à une conscience aiguë de ses responsabilités. Quand il arrive à l'Opéra, il a déjà beaucoup travaillé et beaucoup assumé son rôle de soutien de famille dans des conditions financières difficiles.

Son regard se porte toujours au-dessus, il n'y a en lui aucune petitesse, aucune mesquinerie. Il mène sur son art, sur le fonctionnement du corps et le sens du mouvement, une réflexion avant-gardiste qu'il mettra en œuvre plus tard dans son enseignement. Il quittera l'Opéra au bout de deux ans, sans avoir été nommé Étoile. Je reste persuadée qu'il serait parti de toute manière, son idéalisme n'aurait pas supporté notre fonctionnement, il n'aurait pas trouvé le bonheur au palais Garnier.

Je l'aime au premier coup d'œil et le fais savoir. Cette passion devient une légende dans le Ballet. Perdu dans ses nuages, Serge me tient par la main, m'entraîne dans de longues promenades dans les bois de Meudon, m'enjoint avec lyrisme de profiter de la nature, « Respire », respecte mon innocence et mes quinze ans et, ô cruel destin, ô rage, ô désespoir... a une aventure avec une de nos camarades, ce qui me rend folle de rage.

Lorsqu'il part, je ne peux envisager de le suivre pour des questions bassement matérielles, nous sommes, lui comme moi, chargés de famille. Généreuse, la vie saura nous réunir, mais bien plus tard seulement.

Je tente de me consoler en travaillant double, à son exemple. Un autre Serge, le troisième, entre alors dans ma vie, Serge Peretti. D'origine italienne, émigré très jeune à Paris, il avait décidé de devenir danseur et s'était présenté lui-même à l'École de Danse. Il avait dépassé la limite d'âge, mais ses dons étaient tellement éclatants qu'il fut admis tout de même. Léandre Vaillat dit de lui : « Serge Peretti n'a de russe que le prénom, et d'italien que le nom. Pour le talent, il est français » et le compare à *L'Indifférent* de Watteau. En 1946, Serge a quitté l'Opéra pour une tournée en Amérique du Sud, entraîné par Roger Fenonjois, un magnifique danseur Étoile, très brillant technicien, en compagnie de Daniel Seillier, et avec pour partenaires

Marianne Ivanoff et Lolita Parent. Il s'avéra qu'il avait lâché la proie pour l'ombre, et que ce contrat mirifique n'était que du vent. Il revint donc au palais Garnier, deux ans plus tard, où la classe des garçons lui fut confiée. Il se consacrera désormais à l'enseignement.

Sa lignée n'est ni celle de Ricaux, ni celle d'Aveline, mais celle de Léo Staats, grand maître dont nous dansons toujours la chorégraphie de *Soir de fête*. Il devient mon professeur de prédilection et je prends son cours chaque jour, à dix-sept ou dix-huit heures, au Studio Constant. Après Lifar, il m'a apporté le plus grand plaisir de la danse. À sa pédagogie, il joint une profonde humanité et un sens de l'humour décapant. J'aurai toujours plaisir à être son élève. Il me soulage de moi-même, me remodèle, me prend en charge, et je me remets en question sans problème pendant la leçon.

Son cours durait une heure et dans ce laps de temps, considéré aujourd'hui comme trop court, il donnait aux danseurs l'entraînement nécessaire. La barre prenait vingt minutes et suffisait à nous chauffer ; au milieu, il programmait toutes les séquences d'exercices, donnant les mêmes pas aux filles et aux garçons, en les adaptant bien sûr, relevés pour les filles, sautés pour les garçons par exemple. Il avait fait évoluer la tradition de ses maîtres, développant les levers de jambes, haussant les couronnes, se dégageant des positions trop connotées XIXe siècle.

Toute la psychologie de son enseignement était fondée sur la simplicité. Il ne visait jamais à chorégraphier ses cours, à en faire des cours-spectacles, mais cherchait les suites d'exercices les plus aptes à consolider la technique, à donner de la sécurité au travail du danseur.

Nous fréquentions alors avec gourmandise les cours des divers professeurs de l'école française ou de l'école russe, au Studio Constant, au Studio Wacker, rue de Douai, et dans bien des cités à Pigalle. Les salles étaient minuscules mais nous étions peu nombreux à chaque leçon et nous ne nous y gênions guère. Les conditions d'hygiène étaient déplorables : il n'y avait pas de douche, les vestiaires n'étaient pas équipés de portemanteaux et les commodités sanitaires étaient réduites à leur plus simple expression. Chez Constant la chasse d'eau fuyait, inondant le vestiaire des garçons, un simple réduit où les vêtements traînaient par terre ou sur les quelques bancs alignés le long des murs.

À Wacker flottaient des odeurs de cuisine, venant de la petite cantine tenue par Hugo et Fredda, des remugles d'eaux usées, des parfums bon marché, mais c'était un cocon professionnel et amical qui, bien souvent, tenait lieu de tanière familiale. Le monde de la danse, microcosme à la forte personnalité, s'y retrouvait, élèves et professeurs, débutants et Étoiles, directeurs de Compagnies ayant pignon sur rue et imprésarios véreux.

Partout, dans Paris, s'étaient ouverts une multitude de cours. Certains étaient donnés dans des appartements où, tapis roulé et meubles poussés, une seule et unique barre était installée dans le salon. Appuyée à la cheminée, une dame plus ou moins qualifiée donnait la leçon.

Une jeunesse passionnée par la danse sous toutes ses formes, le plus souvent engluée dans une précarité économique qui transformait la moindre maladie en tragédie, prenait avec passion un des nombreux cours que proposaient des professeurs souvent issus de l'immigration russe, où régnaient encore, pour peu de temps, trois grandes dames : Egorova, Kchessinska, Preobrajenska.

Tout cet inconfort ne nous gênait guère car l'atmosphère de travail était formidable. Au seul nom de Wacker, bien des danseurs de ma génération, ou de celles qui ont suivi, ont l'œil qui brille et le rire aux lèvres.

Un danseur a beaucoup plus d'humilité que n'importe quel autre artiste. Il se moque de l'environnement et du confort, il a été élevé pour entendre de son professeur toutes les vérités, chaque jour de sa vie de danseur. Au fur et à mesure que le temps passe il peut l'accepter plus ou moins bien, mais il l'accepte.

J'aurai le bonheur de faire venir Serge Golovine et Serge Peretti à l'École de Danse, assurant ainsi la transmission de leur savoir.

Lifar, chorégraphe

Le grand cérémonial du *Défilé du corps de ballet* (notre 14 juillet à nous !) a été mis au point par étapes successives.

Imaginé par Léo Staats en 1926, il se déroulait sur la marche de *Tannhaüser* de Richard Wagner. Vingt ans et deux représentations plus tard, Albert Aveline le mettait en scène sur la marche des *Troyens* d'Hector Berlioz.

Il semble que l'idée soit venue de Maurice Lehmann, dans le dessein de donner au corps de ballet conscience de lui-même et de le porter d'une manière spectaculaire au contact direct du public, qui commençait à douter de la permanence d'une Compagnie en déclin, vivant sur la gloire d'un passé récent.

J'ai participé à cette version qui comprenait un court prologue à l'avant-scène, sous forme de quelques exercices avec les enfants de l'École. Une petite fille en tunique arrosait le plateau en formant un grand huit, puis le rideau noir se levait et le défilé du corps de ballet, sans les enfants, se déroulait.

Après sa réintégration comme chorégraphe, Lifar fit sa

rentrée comme Étoile. Pour son retour à la scène, le 2 février 1949, il a donné à ce cérémonial sa forme définitive. À cette époque, le *Défilé* clôturait la soirée, de nos jours, il l'ouvre.

Les enfants de l'École, puis les danseurs du Ballet, arrivent par lignes de six du fond du Foyer de la Danse, grand salon très décoré, très doré, qui prolonge la scène. Ils s'avancent jusqu'à la rampe, jusqu'au public. Par vagues successives et par rang d'âge, les filles d'abord, les garçons ensuite font un écrin aux Étoiles que le public ovationne. Cet applaudimètre, en principe grisant, peut être parfois cruel. Ces représentations exceptionnelles sont toujours impressionnantes et dégagent une grande émotion. Elles sont très difficiles à régler et mettent à l'épreuve les nerfs du maître de ballet. Au fil des années, je n'ai jamais connu que des répétitions épiques, sans exception aucune.

Le prestige de l'École vis-à-vis du Ballet est alors en jeu. Mais les enfants observent aussi leurs aînés pour une fois rassemblés. Coiffures, maquillage, tutus – il n'y a rien de plus difficile à porter qu'un tutu blanc sans ornement – démarche, tenue des bras, fierté du port de tête, allure, rayonnement, tout doit être maîtrisé pendant ce passage sans concession, à la fois trop long et trop bref, sans rattrapage.

Les Étoiles doivent tout donner d'elles-mêmes en quelques secondes, se faire reconnaître, s'individualiser, briller, répondre à l'amour du public sans le solliciter.

Autrefois, les lignes étaient formées au plus près de la hiérarchie, pour leur succession comme pour leur constitution, en fonction du classement obtenu à l'examen. Si elles respectent toujours la succession des grades, elles obéissent davantage maintenant à des critères esthétiques.

Cette soirée de rentrée de Lifar reste marquée dans ma mémoire par le chaos qui la caractérisa. Alors que la salle était pleine et l'émotion à son comble, les machinistes, toujours opposés à la réintégration du Maître, refusaient de lever le rideau. L'attente s'éternisait, le public, agacé, se dirigeait vers la sortie, les danseurs faisaient la navette de la scène à la salle pour expliquer la situation et rattraper les spectateurs. Babilée, tour à tour, insultait les machinistes sur scène et haranguait les spectateurs sur le grand escalier. Le public prenait parti et la situation devenait chaude quand enfin le rideau se leva sur *Suite en blanc*, qui réunissait les Étoiles de la Compagnie : Lycette Darsonval, Yvette Chauviré, Christiane Vaussard, Micheline Bardin, Roger Ritz, Michel Renault, Alexandre Kalioujny, Max Bozzoni et aussi Madeleine Lafon, Jacqueline Moreau, Denise Bourgeois, Paulette Dynalix. J'étais dans le corps de ballet comme Serge Golovine et Raymond Franchetti. Ensuite, Serge Lifar dansa le *Prélude à l'après-midi d'un faune*, dont il avait adapté pour son usage la chorégraphie originale de Nijinsky. Il y était magnifique et inquiétant. Quand il soulevait l'écharpe abandonnée par la nymphe un frisson parcourait la salle. Puis le Ballet donna *Divertissement*, dans lequel je figurais aussi.

Lifar a été un danseur d'une rare élégance. Sa beauté masculine, ses proportions harmonieuses, sa félinité en faisaient un interprète très original. Il quitta la scène trop tard, à cinquante-trois ans, dans le rôle d'Albert de *Giselle*. Certes sa danse était devenue pathétique, mais son entrée au deuxième acte restait fabuleuse. Tous ceux qui l'ont vu se souviennent de sa marche glissée, avec le passage du pied traînant un peu sur le plancher, de son allure, de sa façon de tenir les fleurs d'arum dans le creux de la cape, mettant en évidence ses mains magnifiques.

Les nombreuses chorégraphies montées par Lifar, et dont il ne reste pratiquement rien, sont souvent critiquées. Il faut se souvenir qu'à cette époque, mis à part les divertissements d'œuvres lyriques et les quelques courts ballets du répertoire sur lesquels Zambelli et Aveline veillent jalousement, il n'y a rien. La tradition, incarnée par des abonnés qui se considèrent comme des actionnaires et dont j'ai bien connu les derniers spécimens, veut qu'un ballet durant toute une soirée soit un spectacle ennuyeux, banni de la scène de l'Opéra. Aucune œuvre romantique, classique ou académique ne figure dans notre programmation. Certes, Lifar remonte *Giselle*, mais ce joyau est toujours donné à la suite d'une œuvre lyrique. Peut-être traumatisé par les récits de Diaghilev sur l'échec londonien de la somptueuse production de Léon Bakst pour *La Belle au bois dormant*, qui faillit sonner le glas de l'aventure des Ballets Russes, il n'ose pas remonter ce ballet en entier et se contente du troisième et dernier acte, rebaptisé en 1932 *Divertissement*. Du *Lac des cygnes*, nous ne connaissons que l'acte II remonté par Lifar en 1936. Nous ignorons *Casse-Noisette* ou *La Sylphide*. Seul *Coppélia* est toujours resté au répertoire depuis sa création en 1870.

Lifar se trouve en revanche dans l'obligation d'assumer les partitions composées par ces musiciens prix de Rome que l'Opéra, de par son cahier des charges, doit monter.

L'inspiration n'est certes pas au rendez-vous sur simple demande, et encore moins quand il s'agit d'une commande musicale avec laquelle le chorégraphe n'a pas d'atomes crochus. Sans que le talent du compositeur soit en cause, il s'agit tout simplement d'entente artistique. Et pourtant, nous bénéficions de la présence de magnifiques chefs d'orchestre : Louis Forestier qui a travaillé avec Diaghilev, Robert Blot, Richard Blareau, Manuel Rosenthal. Ces artistes aiment diriger pour le Ballet et apportent tout leur soin à nos représentations. Ce qui n'empêche pas quelques pataquès…

Lors des répétitions de *Lucifer,* nous avions le plus grand mal à être en musique. Lifar jurait parce qu'il n'arrivait pas à trouver les rythmes de la partition de Claude Delvincourt. Deux groupes de diables s'agitaient sur le plateau à cour et à jardin, tandis qu'un groupe d'anges occupait sagement le centre de la scène. Les comptes différaient pour ces trois phalanges. En pleine débâcle l'orchestre, pourtant dirigé par Louis Forestier, finit par s'arrêter de jouer, on entendit alors les petites voix des danseuses qui continuaient leur arithmétique : 123, 124, 125... Le fou rire gagna le ciel et l'enfer.

Vite, trop vite, Lifar chorégraphie une bonne cinquantaine de pas de deux ou de pas de trois pour des soirées de gala, des manifestations de charité, des conférences-spectacles, des tournées... dansés une fois ou deux et dont il ne reste rien.

En 1950, il règle pour les jeunes de la Compagnie *Septuor*, ballet policier à sketches sur une idée de Francis Blanche, dans lequel j'ai un rôle passionnant : je me fais assassiner par un satyre incarné par Pierre Lacotte, mais à la suite d'une erreur judiciaire c'est le pauvre cordier Martial Sauvageot qui est pendu ! Quelle actualité ! Quel scandale que ce « fait divers » sur la noble scène de l'Opéra, d'autant plus que la musique de Jean Lutèce comporte une partie pour accordéoniste, ce qui déclenche les foudres des musiciens de l'orchestre ! Je claque des dents d'angoisse car, pour brocher sur le tout, je suis malade et très faible. La présence dans le rôle de la princesse de Paulette Dynalix, ma petite-mère, me rassure, et quel bonheur d'avoir pour partenaire dans un petit adage Pierre Lacotte avec lequel, il n'y a pas si longtemps, j'ai fait les quatre cents coups à l'École de Danse. J'ai droit à deux lignes de Vaillat, qui m'applique à nouveau le qualificatif d'acidulée... : « Mlle Bessy, qui met une sorte d'élégance dégingandée est assez acidulée dans le rôle de l'amante assassinée. »

Le premier ballet d'une soirée entière que Lifar va oser chorégraphier, en 1951, malgré l'opposition des traditionalistes, est *Blanche-Neige*, sur une partition de Maurice Yvain, pour Liane Daydé qui incarne le rôle-titre et Nina Vyroubova qui campe « la Reine ». Je danse le rôle de « la Luciole », Josette Clavier celui de « la Libellule », Jacqueline Rayet est « la Fée ». Lifar a imaginé pour lui-même le rôle du « Chasseur », celui du « Prince » est tenu par Jean-Paul

Andréani. J'obtiens quelques éloges pour ma prestation. Arnold Haskell, grand critique anglais, me consacre même une ligne flatteuse dans sa chronique : « *Bessy of the superb arabesque is a truly lyrical dancer* "goût anglais". »

Lifar a raison, les ballets d'une soirée vont bientôt régner sur la scène.

L'évolution du public a été très rapide depuis la guerre. Les spectacles chorégraphiques ont connu une vogue exceptionnelle. Le public est venu nombreux et enthousiaste, affamé de jeunesse et de beauté. Les compagnies de danse se sont multipliées, les cours n'ont pas désempli. Nous aimions l'atmosphère électrique des soirées où dansaient Yvette Chauviré et Lycette Darsonval, les salles vibrantes des représentations des Ballets du marquis de Cuevas, les premières des Ballets de Roland Petit qui permettaient de découvrir chorégraphies et danseurs. Au Théâtre des Champs-Élysées, le couple formé par Alicia Alonso et Igor Youskévitch, dans le pas de deux du *Cygne noir*, nous fera hurler d'enthousiasme.

À l'Opéra, les vieux abonnés ont été débordés par cette nouvelle vague. J'ai encore connu les vieux messieurs qui fréquentaient le Foyer de la Danse, de Neuflize, de Saché, Demachy, le colonel Fressont et quelques autres. Ils distribuaient bouquets et bonbons, donnaient des dîners auxquels ils invitaient les danseuses. Tout cela était fort innocent et pas vraiment élégant, les bonbons au chocolat, eux-mêmes, présentés dans des boîtes de pastilles Vichy, n'étaient pas appétissants ! Seul le colonel Fressont, ancien officier de cavalerie, avait de l'allure, séduisant et très grand siècle, conduisant un buggy comme un héros de roman rose. Les autres m'ont laissé le souvenir de vieillards ventripotents. Notre amie Claude Naud papillonnait au milieu de cette petite cour, qu'elle séduisait par sa gaieté et son enthousiasme.

Pour les jeunes ballerines engagées dans l'après-guerre, ces vieux beaux étaient des fantômes d'un autre monde passé de mode, objets de railleries et de fous rires.

Nous étions là pour danser, pour gagner notre vie et les beaux garçons du Ballet nous plaisaient bien autrement. Quant aux Ballets roses ou bleus que la presse dénonça à grand bruit dans les années 60, nous n'en avons jamais vu l'ombre dans la Compagnie. L'amplification médiatique de basses vengeances et de jalousies, de bruits non vérifiés se poursuit aujourd'hui avec tout autant de légèreté et de mépris de la recherche de la vérité.

Grande nouveauté, nous répétons le soir à partir de huit heures, cet horaire inhabituel devient la règle pour les solistes. Nombre de nos compagnes du corps de ballet lèvent l'étendard de la révolte, car c'est le moment où elles préparent le dîner pour leurs maris, petit à petit elles devront pourtant se soumettre à ce nouveau planning.

Lifar chorégraphie très vite, quasiment de façon interactive avec l'interprète, un petit peu comme le fera plus tard Maurice Béjart. Il a une idée ferme de la narration et de l'expression des sentiments qui lui sert de fil conducteur et décompose le récit chorégraphique en séquences, basées sur les séquences musicales. Au long des répétitions, il compte tout le temps, mais se trouve souvent gêné par son manque de mémoire, et demande fréquemment à l'interprète principale de se muer en répétitrice. Sa pianiste attitrée, Odette Dufour, est parfois remplacée par Anne Ferriot, qui n'est pas la musicalité même, et nous nous retrouvons dans des imbroglios de tempi lors des répétitions avec orchestre. Ce sera le cas pour la création des *Noces fantastiques*, le compositeur, Maurice Delannoy, finissant, après moult discussions, par rajouter une mesure à sa partition pour que ma variation se termine sur le « ploum » exigé par Lifar, car la pianiste l'avait donné avec fracas pendant toutes les répétitions. La différence est grande avec Balanchine qui règle à la croche près.

Lifar aime raconter des histoires et quasiment tous ses ballets, sauf *Grand Pas*, *Variations* et *Suite en blanc*, ont des trames narratives.

Il enseigne des lignes plutôt que des pas, incorporant au vocabulaire classique ses positions plastiques, imposant un mouvement corporel, développé surtout pour le buste et les bras, qu'il a hérité de ses aînés des Ballets Russes. Il insiste sur le prolongement dans l'espace, sur la conduite d'un geste qui ne doit jamais trouver un point d'arrêt mais tendre vers l'infini. Le contraste est alors très fort avec les enchaînements prônés par Zambelli et Aveline, qui sont proches du maniérisme.

Il nous reste peu d'œuvres de Lifar au répertoire : *Phèdre*, *Les Mirages*, et surtout *Suite en blanc*, créé en 1943, son ballet le plus souvent programmé, véritable auberge espagnole, que les danseurs connaissent bien encore aujourd'hui, pas seulement pour ses représentations dans la salle du palais Garnier, la dernière date de 1996, c'était la 375e, mais parce que les variations sont toujours utilisées pour les auditions et les concours.

La musique, extraite de la partition de *Namouna* de Lalo, terminée par Gounod, a bien servi la danse. Depuis la fin du XIXe siècle, tour à tour Marius Petipa, Léo Staats et Albert Aveline avaient chorégraphié *Namouna*, ballet d'histoire sur un livret de Charles Nuitter, l'archiviste de l'Opéra, auteur également du livret de *Coppélia*. Lifar reprit la partition de Lalo avec quelques modifications et supprima le livret, en faisant un des premiers ballets «abstraits» du répertoire. Tout le monde a donné *Suite en blanc*, à quatre, à six, à huit, à douze danseurs. Lifar en faisait littéralement cadeau à tous ses interprètes. La chorégraphie est admirablement bien construite. Le corps de ballet accompagne toujours les variations des Étoiles, «la sérénade» et «la cigarette» par huit filles, «la flûte» par tout le corps de ballet, seuls la mazurka et l'adage se déroulent sans accompagnement. Les variations sont assez interchangeables et peuvent convenir à des Étoiles différentes.

Lors de la création, trois premières danseuses ouvraient le feu : Paulette Dynalix, Marianne Ivanoff et Micheline

Bardin. La première Étoile à entrer en scène était Yvette Chauviré, avec pour partenaires deux premiers danseurs, Roger Ritz et Roger Fenonjois, pour un pas de trois. Il était suivi par un pas d'action, interprété par Lycette Darsonval, encadrée au sens premier du terme par les premiers sujets : Duprez, Petit, Decarli, Sauvageot. La troisième Étoile sera Solange Schwartz, escortée par trois groupes de danseuses. Son solo enchaîne avec le seul pas de deux de l'œuvre qu'elle interprète avec Serge Lifar pour partenaire. Le finale jettera tout le monde en scène pour des pas rapides et brillants, un moment rompu par le fameux solo de flûte.

Si j'ai donné les noms des interprètes de la première distribution de ce ballet, qui en connaîtra tant d'autres, c'est d'abord pour le plaisir de les nommer et de rappeler leur souvenir, c'est ensuite pour « imager » la structure de ce ballet, construit pour exalter la technique de la danse. Dans cette « ode à la gloire de l'École française, les préséances de la hiérarchie comptent à la manière des quartiers de noblesse dans le protocole d'une cour », comme l'écrivait Léandre Vaillat.

Études, de Lander, est de la même eau, comme plus tard *Arcades*, de Labis. Ce sont de vrais ballets qui présentent la technique classique en la théâtralisant. Pour les interprètes la proposition est terrible. Il n'y a pas, comme dans les grands ballets classiques, un deuxième ou un troisième acte pour se rattraper, un couac se voit tout de suite, il n'y a ni maquillage ni réserve possible.

Pour l'École, j'ai remonté *Suite en blanc* en m'appuyant sur ma longue expérience, puisque je crois bien avoir, à un moment ou à un autre, dansé tous les rôles féminins de cette œuvre. J'espère ne pas avoir trahi le chorégraphe, en restant dans son idée sinon dans ses pas.

Je regrette que soient tombés dans l'oubli *Les Noces fantastiques* et surtout *Chemin de lumière*, un des bons ballets du Maître, sur son thème de prédilection, la recherche de l'idéal, ici poursuivi par le jeune homme, Peter Van Dijk, à travers trois figures de femmes, la jeune fille, Josette Amiel, la femme en jaune, ou la folle, incarnée avec brio par Claire Motte et la femme en rouge, ou la femme fatale, que je danse. Lifar n'a pratiquement jamais monté ses ballets dans d'autres maisons que l'Opéra de Paris. Quand il a enfin voulu le faire, c'était trop tard, le vent de la mode avait tourné. Cette exclusivité de l'œuvre d'un chorégraphe pour la Compagnie a disparu. C'est dommage pour l'Opéra qui n'a plus de « signature propre », c'est mieux pour les danseurs qui peuvent danser dans le monde entier un répertoire commun.

De Lander à Kelly

L'année 1952 sera fertile en événements. Josette Clavier et moi, sommes nommées premières danseuses et Madeleine Lafon Étoile, Claire Motte vient d'entrer dans le Ballet. Maurice Lehmann nous est revenu comme administrateur de la Réunion des Théâtres Lyriques Nationaux pour un second mandat. Nommé de fraîche date, il engage Harald Lander comme maître de ballet, il lui conférera l'année suivante les titres de chorégraphe et de professeur.

Quand Harald Lander prend ses fonctions, la séduction n'est pas au rendez-vous. Succéder à Lifar n'est pas chose facile et Lander n'a pas de goût pour les relations humaines. Il arrive sur scène son cahier sous le bras, l'ouvre et, en vous regardant à peine, lit les indications qui y sont soigneusement notées.

Ce danseur danois, né à Copenhague, a été l'élève d'un élève de Vestris, quelle généalogie ! Il connaît parfaitement le style français et en restitue tout le sens. Après son passage à la tête du Ballet, il deviendra en 1960 directeur de l'École de Danse. C'est un maître précis et exigeant, mais une personnalité plus fermée que le rayonnant et extraverti Lifar.

Malgré nos relations tendues, lui aussi, comme Balanchine, va provoquer chez moi une prise de conscience. Au début des répétitions d'*Études*, ballet qu'il a monté l'année de son arrivée, il convoque les premières danseuses à la Rotonde et leur demande d'exécuter trente-deux fouettés. Cette prouesse m'est étrangère, les fouettés ne sont pas mon fort car j'ai des problèmes de dos, et pourquoi en exécuter trente-deux quand aucun rôle ne l'exige. Pourtant, par goût du risque, je me signe et me lance, terminant tant bien que mal, et je suis distribuée tout comme Josette Clavier. Cette aventure me pousse à explorer davantage ma technique, que je ne sollicitais jusqu'alors qu'en fonction de demandes immédiates.

Je sais que Lander m'a distribuée à contrecœur, j'aurai d'ailleurs beaucoup de mal à danser *Études*. Ce rôle ne deviendra jamais un plaisir pour moi. Lorsque je dansai devant lui la variation, répétée jusqu'à satiété, il me rétorqua : « Très bien, Madame, peut-être technique, peut-être chance, alors refaites. » Furieuse, je tins à lui prouver l'honnêteté de mon travail.

Études est un ballet très difficile pour tous les interprètes, c'est aussi un ballet nécessaire pour se remettre en jambes et Raymond Franchetti disait qu'il faudrait pouvoir le programmer à chaque début de saison. Il est nécessaire de beaucoup et souvent le danser pour se l'approprier. Le public découvrit à cette occasion le travail à la barre, à l'époque on n'avait jamais vu sur scène cet envers du décor.

Cette même année, lorsque Maurice Lehmann fait entrer au palais Garnier *Les Indes Galantes*, magnifique opéra-ballet de Rameau, il conçoit une mise en scène brillante qui enchante les artistes et le public pendant dix ans. Toute la Maison, orchestre, troupe de chant, ballet, élèves de l'École participe à ce somptueux spectacle. Nous sommes ensemble sur scène, ce qui affermit encore cet esprit Maison, tous corps artistiques confondus, qui a en par-

tie disparu depuis que le Ballet n'assure plus les divertissements d'opéras, aujourd'hui très souvent coupés dans la partition ou, si ce n'est pas le cas, assurés par des compagnies
extérieures, et depuis que la troupe de chant a disparu. Le
prologue et les quatre entrées étaient décorés et costumés
par sept décorateurs différents et chorégraphiés par Albert
Aveline pour *Le Palais d'Hébé* et *Le Turc généreux*, Serge
Lifar pour *Les Incas* et *Les Sauvages*, Harald Lander pour
Les Fleurs.

Les danseurs n'avaient pas grand-chose à se mettre
sous la dent en matière de chorégraphie pure, ils faisaient
plutôt de la figuration dansante, mais la soirée était agréable,
sans stress, très conviviale, nous y passions dans les loges
des chanteurs de sympathiques moments de détente.

J'étais alors grand sujet et dansais deux fois au cours de
la soirée, dans les tableaux du *Palais d'Hébé* et des *Fleurs*.
L'Amérique vint à moi en la personne de Gene Kelly, chorégraphe et danseur. Son coup de téléphone me prit au
dépourvu et je crus d'abord à une blague d'un de mes camarades quand il se présenta dans un français approximatif et
avec un fort accent. Star du cinéma hollywoodien, Kelly
représentait pour moi bien plus que n'importe quelle vedette
puisqu'il était danseur.

Tout comme Claire Sombert, je lui avais été recom-
mandée par Irène Lidova. Après m'avoir vue danser un
soir, je ne sais plus dans quel ballet, il me fit passer une
audition au Studio Constant et m'engagea pour son film
Invitation à la danse, me programmant dans un pas de deux
avec Igor Youskévitch. Le film est en trois parties indépen-
dantes les unes des autres *Circus*, *Ring around the rosy* et
Sinbad le marin. Gene est le seul lien entre elles puisqu'il
danse dans les trois. Je n'ai jamais compris pourquoi, lors
de cette fameuse audition, il m'avait fait enchaîner les pas
de la plus pure technique classique et des pas de danse jazz,
pour lesquels je me sentais très maladroite, pour me confier
ensuite le rôle du modèle d'un peintre dans *Ring around the*

rosy où je n'avais à peu près rien à danser. Sur ses instructions, je me rendis au siège de la MGM pour signer un contrat, et m'y vis proposer un engagement pour sept ans que je refusai, ne désirant rien d'autre que de rester à l'Opéra.

Sept ans représentaient pour moi l'éternité et j'espérais bien être nommée première danseuse dans un avenir beaucoup plus proche.

Je pensais pour ma part que l'histoire s'arrêterait là et n'y pensais plus, mais Gene Kelly, tenant mordicus à sa distribution, fit céder la MGM et m'obtint un contrat pour ce seul film ! Entre-temps j'étais partie en vacances au Pays basque où m'arriva la nouvelle.

Il me fallait obtenir l'autorisation du directeur de l'Opéra. Heureusement, Maurice Lehmann était un homme charmant, élégant et raffiné. Il avait une très belle façon de recevoir et de remercier ses artistes, conviant le Ballet, sur les pelouses de Saint-Germain-en-Laye, à des dîners de fin de saison et à des garden-parties où nous rivalisions d'élégance.

Comme il était en villégiature dans les environs, j'allai le voir sur le terrain de golf de Guétary et lui arrachai une permission. Il me l'accorda sous condition d'être rentrée pour chaque représentation des *Indes Galantes*. C'était une performance car à l'époque, bien que nous dansions peu souvent, ou peut-être précisément à cause de cela, les autorisations d'absence étaient très difficiles à obtenir. Je pris donc ma valise et partis pour Londres pour les séances de tournage du film, d'où je rentrais deux fois par semaine pour danser au palais Garnier.

Étoile, et ensuite ?

À l'époque, l'accès à ces titres si convoités de première danseuse et d'Étoile se défend chèrement mais, paradoxalement, à l'instant où ils sont obtenus, tout rentre alors dans le rang dans une indifférence quasi générale.

Ainsi, c'est le concierge de l'Opéra, l'excellent Lucien Ferrari, providence du corps de ballet pendant bien des générations, qui me prévient de ma nomination de première danseuse.

Le même jour, cette note dactylographiée sur papier à en-tête est affichée au tableau de la Danse : « Décision. À la date du 1er octobre 1952 Mlle Madeleine Lafon est nommée *Étoile*. Sont nommées *Premières Danseuses* (par ordre alphabétique) Mlles Bessy, Clavier. »

On ne peut pas faire plus sec !

Le cas est, je crois, unique dans les annales, Josette Clavier et moi avons été nommées par le directeur de l'Opéra, Maurice Lehmann, sur le résultat de l'examen de l'année précédente où nous arrivions… *ex æquo*.

La manœuvre était simple, quand il y avait un poste de première danseuse à pourvoir, une « ancienne » était classée première au concours et grimpait cet échelon important dans la hiérarchie. Cette année-là, aucun poste n'était affiché, Josette et moi nous fûmes donc classées premières *ex-aequo*, le directeur prit l'occasion au vol et nous fûmes promues. L'examen consistait alors en une seule variation du répertoire, extraite de *Soir de fête*, ou du ballet de *Faust*, de *Giselle* ou de *Coppélia*, ou encore de *Sylvia* avec les fameux pizzicati, ah ces pizzicati, quelle angoisse! La deuxième épreuve, un pas d'école, sera instituée par Harald Lander.

Le cérémonial de l'examen était, à peu de chose près, le même que celui que nous connaissons toujours aujourd'hui.

Pour les Étoiles, il en va tout autrement.

Dans le Ballet on franchit les grades par concours, sauf pour la nomination d'Étoile, qui n'est pas due à la réussite d'une épreuve, mais au choix fait par le directeur sur proposition du maître de ballet. Pour la danseuse c'est la consécration de son rêve d'enfant, la satisfaction d'un acquis. Ce n'est pas un point d'orgue mais le début d'une trajectoire qu'on souhaite brillante, le commencement d'une autre histoire.

La pression de la responsabilité, personnelle d'abord, vis-à-vis du corps de ballet ensuite, est intense. La mission de conseil auprès des jeunes qui vous suivent, car quel que soit son âge une Étoile n'est plus jeune mais Étoile seulement, avant de devenir une Étoile sur le déclin, est primordiale. Tout est compté, d'un côté on ne peut plus rien se permettre, de l'autre on doit oser l'excellence.

Beaucoup dépend aussi des circonstances de la nomination. Si c'est à la suite d'un grand succès, la nouvelle Étoile risque d'être distribuée dans tout ce qui va se présenter. La danseuse, certes, donnera avec passion, mais ne pourra pas faire face à la diversité des propositions. Il faut apprendre à refuser avec beaucoup d'intelligence et de diplomatie, et à savoir la raison de ces choix. Les grands rôles sont des nourritures aphrodisiaques, il faut éviter la boulimie pour assurer la longévité.

À mon époque, le menu était maigre, chaque Étoile était titulaire d'un certain nombre de rôles dont elle jouissait en absolue propriété. Les créations étaient peu nombreuses, la programmation étroite. Aujourd'hui, pour le bonheur des danseurs et du public, la situation est tout autre. Pour nourrir la scène, tout le monde danse tout. Serait-ce une erreur ? Les danseurs entraînés à tout faire n'y perdent-ils pas quelque peu leur personnalité ?

À mon entrée à l'École, les petits rats admirent avec dévotion la belle Camille Bos et Simone Binois. Lorsque j'entre dans le Ballet, l'Étoile par excellence est pour moi Lycette Darsonval qui joint à une magnifique technique une personnalité audacieuse, nourrie de toutes ses démesures. Cette Étoile-là est une star et aussi un être humain. Le public plébiscite Micheline Bardin à chacune de ses apparitions sur scène, pour sa folle générosité, son brio, son allure qui arrachent les applaudissements, un critique disait d'elle : « Elle n'entre pas en scène, elle la bouscule ! »

La beauté, la mesure, l'élégance d'Yvette Chauviré lui attachent tous les cœurs.

J'aimerai aussi Christiane Vaussard, Jacqueline Moreau, Denise Bourgeois... et tant d'autres.

Pour toutes ces interprètes on ne parle plus de technique, tant elle est induite, mais de rayonnement, de projection vers le public. Claire Motte, comme plus tard Monique Loudières, ou encore Sylvie Guillem, ajoutent une touche de modernité à tous leurs talents. Sans rien oublier des qualités séculaires de la *ballerina assoluta*, elles sont étonnamment de leur temps.

À chaque Étoile son rayonnement. J'admire chez certaines la beauté du travail, c'est le cas pour Élisabeth Maurin, qui est de celles que les Anglais nomment *a dancer's dancer*. J'ai eu la révélation de sa sensibilité artistique lorsqu'elle a dansé le rôle de la petite fille aux nattes, dans

Le Bal des cadets, pour un spectacle de l'École. Jusque-là, c'était une élève intelligente, timide et effacée, à l'impeccable technique. Tout d'un coup, ce fut une artiste. Elle est devenue une extraordinaire interprète, capable d'endosser des rôles comiques ou tragiques. J'ai admiré sa magnifique prestation dans *Fall river legend*, d'Agnes De Mille, où elle incarne une meurtrière condamnée à mort. J'avais pourtant vu ce ballet avec Nora Kaye, Élisabeth soutient haut la main la comparaison.

Le statut d'Étoile était à l'époque moins protecteur qu'aujourd'hui. Les corps vieillissaient-ils plus vite ? Le fait du prince était-il plus brutal ?

Serge Peretti m'avait fait le récit pénible de l'éviction de Ricaux. Lors d'une répétition sur scène de *Soir de fête*, devant le corps de ballet, en présence du directeur de l'Opéra Jacques Rouché, Léo Staats, le chorégraphe, dit à haute et intelligible voix : « Monsieur Ricaux, vous ne danserez pas, Monsieur Peretti vous remplacerez. » Le roi est mort, vive le roi ! Peretti n'avait jamais oublié l'image de Ricaux qui, tournant les talons, sortit lentement de scène et s'enfonça dans la coulisse. Ce dos voûté, accablé. Quelle injure faite à ce grand maître !

Presque dix ans plus tard, Nina Vyroubova sera évincée de l'Opéra avec la même violence.

Elle représentait parmi nous l'école russe, celle de ces grands professeurs légendaires : Preobrajenska, Trefilova, Egorova, Gsovski… En 1949, Lifar l'avait engagée comme Étoile pour remplacer Yvette Chauviré, envolée vers d'autres cieux, nous admirions son travail du haut du corps et des bras, si inspiré, si lyrique.

Elle fut renvoyée sans explication six ans plus tard, tout comme Youli Algaroff. Lors de la conférence de presse qu'il tint au même moment, le directeur de l'Opéra coupable de ce mauvais coup prétendit qu'il fallait limiter le nombre de danseurs étrangers dans le Ballet or, malgré leurs noms slaves, Nina et Youli étaient tous deux de nationalité française !

Liane Daydé devint l'Étoile montante et Peter Van Dijk fut engagé pour être son partenaire… bien qu'il ne soit pas français !

Ma nomination d'Étoile, en 1956, passe, comme beaucoup d'autres, inaperçue. Je sais la devoir à Maurice Lehmann, conseillant cette nomination à Jacques Ibert, dont le mandat ne durera que six mois. C'est un cadeau d'adieu que me fait cet homme charmant à son départ de la Maison en me recommandant à son successeur. Jacques Ibert ne passera que peu de temps à la tête de l'Opéra, six mois, au cours desquels nous le vîmes peu. Nommé à son corps défendant, il était d'abord compositeur, généreux et beaucoup joué, par surcroît directeur de la Villa Médicis à Rome, c'est dire combien il résidait peu au palais Garnier, d'autant que sa santé était fragile. Les péripéties de la vie d'un directeur de l'Opéra n'étaient pas faites pour lui.

Cette nomination d'Étoile n'est pas liée à une création ou à une prise de rôle, ce sont d'ailleurs des événements assez rares à l'époque puisque la hiérarchie bloque ces opportunités. Elle n'est pas proclamée sur le plateau à l'issue d'une représentation, devant le Ballet rassemblé, ce beau cérémonial sera plus tard institué par Rudolf Noureev. Elle est simplement affichée au tableau de service. Progressivement, elle me vaudra une augmentation de salaire, discutée férocement et obtenue seulement deux ans plus tard, davantage de facilité à obtenir des autorisations, à l'époque nécessaires tout le temps et pour tout, davantage d'information sur la programmation, qui jusqu'alors m'arrivait, comme à mes camarades, grâce à des bruits de couloir. La loge 59 m'est affectée, je la tapisse de toile de Jouy et la garderai jusqu'à mon départ de l'Opéra.

Plus tard, je découvrirai le pouvoir du choix, et d'abord celui de refuser un rôle, mais aussi de suggérer une distribution.

Pour l'heure, malgré cette nomination, tant attendue, j'ai le sentiment de m'enfoncer dans une mauvaise passe.

Georges Hirsch, qui succède à Jacques Ibert, ne m'aime guère et ne m'aurait certes pas, lui, distinguée.

Le titre suprême m'a été décerné, bien, et après ? J'ai l'impression d'avoir été « encadrée », dans une baguette, dorée tout de même, puis accrochée au mur, avec la consigne de n'en plus bouger.

Ma carrière est en panne, faute de rôles, et je le sais. Je sais aussi qu'on me reproche mes aventures extra-Opéra, les photos de mode pour les revues et les grands couturiers, mes amitiés dans le milieu des comédiens et des gens du cirque.

En effet, avec gourmandise, je fréquentais les grands couturiers, d'abord Balmain et Grès, en attendant Courrèges. Hélène Lazareff, directrice du magazine *Elle*, m'avait abordée avenue de l'Opéra, devant la vitrine d'un magasin de chaussures, et m'avait proposé de faire des photos de mode. Elle voulait une fille qui bouge. « Certaines portent des robes, d'autres les emportent », m'expliquera Balmain. J'ai beaucoup appris de ces séances de photographie pour *Elle*, pour *Vogue* ou pour *Paris Match*.

Les danseuses du Ballet, et tout spécialement les Étoiles, rivalisent alors d'élégance. La sortie des artistes après la représentation, dans la cour arrière du palais Garnier, est un autre spectacle. Maquillées, coiffées, habillées, gantées et parfois chapeautées (Ah, les bibis d'Yvette Chauviré exaltant son profil !), nous nous avançons sous les regards admiratifs de fort nombreux spectateurs venus applaudir cet autre défilé. Il s'agit pour nous de « jouer le jeu », par respect pour le public et pour notre qualité de danseuses de l'Opéra. Peut-être est-ce aussi une question de dignité, de style et de féminité pour faire bon poids. Toutes les artistes sont, à cette époque, « en représentation », à la ville comme à la scène, comme dans les médias.

Je n'épiloguerai pas sur le changement de tendance –

autres temps – autres mœurs – autres toilettes, si on peut encore appeler ainsi les survêtements informes, les T-shirts dégoulinants et les éléphantesques chaussures de sport, qui dissimulent hélas les beaux physiques des danseurs d'aujourd'hui.

Ce n'est un secret pour personne, Georges Hirsch a une Étoile préférée, en la personne de Liane Daydé, belle et fine danseuse, femme-enfant pétrie de charme.

Aussi lorsque Lucia Chase, directrice de l'American Ballet Theatre, m'invite à venir danser à New York, c'est une invitation au paradis. Rien n'entache mon plaisir puisque j'ai obtenu une autorisation d'absence en bonne et due forme de la direction de l'Opéra, enchantée de me savoir de l'autre côté de l'Atlantique.

Je quitte donc sans regret l'atmosphère étouffante du palais Garnier et son répertoire étroit, pour danser *La Belle Hélène* d'Antony Tudor, *Mademoiselle Julie* de Birgit Cullberg, le pas de deux de *Casse Noisette* aux côtés d'Alicia Markova, d'Erik Bruhn et de Glen Tetley.

J'arpente New York et m'émerveille des multiples talents des danseuses américaines, qui ne sont pas confinées aux seuls chaussons de pointe mais alternent les shows à Broadway et les saisons classiques, travaillent le chant et la comédie, et se plient aux contraintes de la médiatisation. Bien plus tard ce souvenir continuera à m'influencer et, très vite, je rêverai d'une École où les élèves pourraient apprendre toutes les disciplines du spectacle.

Je prends des cours au New York City Ballet où George Balanchine les donne lui-même, à un train d'enfer. Il ne s'agit pas d'échauffement ou de pédagogie mais de préparation pour ses ballets, d'entraînement à sa manière de danser. Cette base chorégraphique n'est pas une base pédagogique, elle est pourtant toujours appliquée aujourd'hui aux États-Unis, ce qui constitue à mon sens une erreur.

Mais la rencontre la plus importante est celle d'Erik Bruhn. J'admire le danseur, sa technique, son élégance, sa perfection, je découvre le pédagogue et son enseignement, sa science des points d'appui, ses exercices d'adage exécutés sur demi-pointes. Il me fait travailler et me donne beaucoup, m'aidant à trouver ma place au sein de la Compagnie américaine. Les exercices d'équilibre d'Erik Bruhn m'accompagneront toute ma vie, je ne peux malheureusement pas les léguer à l'École car ils ne concernent que des danseurs confirmés. Quant au répertoire que j'ai acquis ou vu là-bas, je le suggérerai à Michel Rayne lorsqu'il prendra la direction de la troupe de l'Opéra-Comique.

Ce séjour m'a changée, mûrie, j'en aurai conscience en rentrant à Paris et ma petite-mère me le confirmera au premier coup d'œil. Je ne suis plus dépendante moralement de l'Opéra, j'ai acquis un sens critique, du recul par rapport aux situations et aux conflits, plus de réflexion, moins de réactivité. Je sais maintenant que pour rester il faut partir de temps à autre, sans rompre le lien quasi ombilical qui m'attache à cette Maison, dont je comprends peu à peu qu'elle met le monde à portée de ma main.

Désormais, dès que je sentirai s'accumuler les nuages, j'irai me ressourcer ailleurs, respirer sous d'autres cieux, je reviendrai toujours à l'Opéra, la scène la plus sublime que je connaisse, la Maison qui n'a pas d'équivalent. Mais passer sa vie avec les mêmes frères humains, dès son plus jeune âge, n'est pas une sinécure. J'ai vu des haines s'étendre sur quarante ans et parfois même davantage, c'est bien long !

L'Atlantide

Un beau matin, je reçois, à l'Hôtel Plaza de New York où je loge, un télégramme de Georges Hirsch me fixant un rendez-vous téléphonique. Notre directeur me demande de rentrer immédiatement à Paris pour assurer la création du rôle-titre de l'opéra-ballet *L'Atlantide*, en remplacement de Ludmilla Tcherina.

Lucia Chase accepte de me laisser partir sur-le-champ, Violette Verdy reprenant, dès le lendemain, mon rôle dans *Mademoiselle Julie*.

L'Ambassade de France parvient à me décrocher une place sur le vol d'Air France, puis me demande de la céder à Paul-Henri Spaak, secrétaire général de l'OTAN. Tant pis, il me faudra prendre le vol suivant. À l'arrivée, je me retrouverai à la livraison des bagages avec notre diplomate qui, victime du retard, attend mélancoliquement ses valises, et me remercie gracieusement de ce sacrifice inutile.

Arrivée heureuse et légère, je me précipite sur le plateau du palais Garnier, ma petite valise à la main, pour y trouver... George Skibine. Je déchante immédiatement en comprenant que je suis tombée dans un piège. La polémique, dont bien sûr rien n'avait filtré outre-Atlantique, fait rage. Skibine chorégraphie *L'Atlantide* parce que Lifar est parti en claquant la porte, suivant de près Ludmilla Tcherina, démissionnée par l'administrateur parce qu'elle voulait imposer son costume, un collant académique noir, orné de serpents or qui, il faut le dire, lui donnait une allure folle.

Le calme ne règne pas non plus dans le domaine du chant, puisque Martha Angelici, programmée dans le grand et unique rôle lyrique féminin de l'œuvre, a, elle aussi, déclaré forfait !

Je me précipite chez Lifar qui, très calme, m'enjoint de continuer : « Allez-y, faites Bessy, faites ! »

Bien plus tard, j'apprendrai que la partition d'Henri Tomasi, sur un livret de Francis Didelot tiré du célèbre roman de Pierre Benoit, a été une première fois refusée par le Comité de lecture de l'Opéra qui, revenant sur sa décision initiale, a fini par l'accepter après une création réussie à Mulhouse, une tournée dans plusieurs villes de France et des premières acclamées en Allemagne et en Belgique.

De plus, Georges Hirsch est dans une situation difficile, menacé par la Commission de réforme des théâtres nationaux, qui conclut à la suppression de la RTLN dont il est l'administrateur général, et donc à la séparation de l'Opéra et de l'Opéra-Comique, les deux théâtres qui constituent cette entité. Il est aussi fragilisé par le retard pris dans sa programmation, qui a déjà fait repousser de dix mois la création de *L'Atlantide*. On fait des gorges chaudes de ces ajournements et *L'Atlantide* est en passe de devenir *L'Arlésienne*.

Il reste une semaine de répétitions, menées à tombeau ouvert, ce qui m'évite de prendre connaissance de la presse et de son « crescendo de commérages », et de paniquer à la lecture du journal *Combat*, qui prédit : « Claude Bessy jouera la partie la plus dure de sa carrière : on fera, forcément et inutilement, des comparaisons. » S'agit-il de me mesurer à Ethery Pagava, à Ludmilla Tcherina qui ont déjà dansé le rôle à Lille et à Enghien, ou bien à Napierkowska, à Birgit Helm et à Maria Montez qui en furent les héroïnes au cinéma ?

Dans cet opéra, tiré du roman de Pierre Benoit, qui reste aujourd'hui encore un succès de librairie, près d'un siècle après sa parution en 1919, l'héroïne, Antinéa, est muette et incarnée par une danseuse, comme la Fenella de l'opéra d'Auber, *La Muette de Portici*.

Avant de se retirer, Lifar a chorégraphié la danse des djinns et les divertissements. Skibine se charge des variations d'Antinea, tandis que Douking me concocte des costumes composés d'un collant académique chair, sur lequel je passerai diverses jupes et manteaux de gaze or.

La soirée de première est une représentation de gala. André Maurois, Gérard Bauer, Paul Reynaud, la Bégum, Paul Derval, Paul Achard, Jean-Louis Vaudoyer, Alice Cocéa sont dans la salle.

Lorsque Louis Fourestier monte au pupitre, je ne me sens pas très bien. À la fin du premier acte apparaît enfin Antinea. Elle vient comme chaque soir danser devant les tombeaux de ses amants qu'elle a immolés. Des sifflets fusent vigoureusement dans la salle, la cabale m'attend. Les rappels d'une salle enthousiaste me rendront à la vie. Les journalistes notent soigneusement à l'entracte les bribes de conversation qu'ils peuvent attraper et publient le lendemain les plus vaches.

Quelle que soit la qualité de l'œuvre, c'est un succès public dont l'Opéra donne vingt représentations. Claire Motte dansera, à son tour, le rôle d'Antinéa lors de la dernière série.

Couronnée de mes succès américains, je deviens une artiste médiatisée, j'ai aussi conscience d'avoir sauvé la mise au directeur de la Maison. Je sais ne pas devoir cette subite célébrité uniquement au rôle, certes flatteur, de *L'Atlantide*, mais aussi, mais surtout, à l'auréole qui nimbe en France tout artiste ayant triomphé à l'étranger. Les lauriers parisiens se cueillent alors sur la passerelle de l'avion d'Air France qui vous ramène au pays.

Être la reine de Paris est très agréable et flatte ma féminité qu'encensent sur papier glacé les magazines de mode.

Quelques semaines après la première de *L'Atlantide*, George Skibine est nommé maître de ballet en remplacement de Lifar, démissionnaire.

Serge Lifar a quitté l'Opéra parce qu'il l'a choisi, mais très meurtri, ayant l'impression d'une immense injustice. Un soir, alors que je dîne à la brasserie *La Lorraine* après le spectacle, le maître d'hôtel me raconte l'avoir vu, attablé toute la journée devant un café-crème, en larmes. Il se sent abandonné, peut-être l'est-il. Nous nous retrouvons au Fouquet's, car il ne veut plus passer devant le palais Garnier. Dix ans plus tard, à mon invitation, il y reviendra pour monter *Le Grand Cirque, Constellations* et *Istar*. C'est un échec. Il se montre très aigri et me brocarde volontiers lorsqu'en 1970 je suis nommée maître de ballet par intérim. «Pourquoi cette gamine?» Le temps apaisera ses griefs et, lorsqu'il se retirera à Lausanne, j'irai le voir fidèlement, une fin de semaine sur deux, jusqu'à sa mort.

Son sceau reste fort même après son départ, je suis «marquée à vie» comme disciple de Lifar. Quand le Maître sera passé de mode, peu de chorégraphes me proposeront des rôles. Cela ne m'empêche pas de reconnaître tout ce que je lui dois, professionnellement et humainement.

Notre génération aura probablement été la dernière à concevoir des attachements exclusifs, passionnés pour ses professeurs et ses maîtres de ballet doublés de chorégraphes. Il est vrai que nous n'avions pas le choix. Aujourd'hui, professeurs et chorégraphes ne font plus que passer ou revenir. Les danseurs choisissent chaque matin quel cours ils vont suivre, les professeurs découvrent chaque matin une assistance différente, une classe hétérogène. Ce self-service de la leçon étant proposé à l'intérieur du palais Garnier, il n'y a plus l'équivalent du Studio Wacker ou du cours de Raymond Franchetti à la Cité Véron, qui permettaient un salutaire brassage de populations, une véritable émulation entre des artistes d'horizons différents. Le dernier professeur à venir systématiquement soutenir ses danseurs aux représentations fut Alexandre Kalioujny, reprenant le flambeau des mains de Zambelli, Aveline, Ricaux, Lifar et Franchetti.

Cette liberté a sûrement du bon, mais il en résulte un moindre investissement dans la vie de la Compagnie.

À soixante-dix ans passés, je remercie toujours mes professeurs, et tout spécialement Serge Lifar et Serge Peretti, du travail qu'ils ont fait sur moi, je cite leur nom, je parle d'eux. J'entends Laurent Hilaire, Manuel Legris, Élisabeth Maurin, Élisabeth Platel faire de même pour Alexandre Kalioujny et Rudolf Noureev qui les ont modelés. Les générations qui suivent semblent être des générations spontanées, ne rien devoir à personne, s'être faites toutes seules. Je me demande pourquoi, est-ce péché d'orgueil, inconscience ou un « Tout m'est dû », dont je suis peut être en partie responsable, ayant conçu une École qui leur met effectivement tout à portée de la main ? Si nous ne parlons pas de nos maîtres, gardant ainsi leur souvenir vivant, qui le fera ?

Il m'a fallu longtemps pour réaliser quelle chance nous avons eue de pouvoir compter sur Serge Lifar dans les moments de grande solitude, de doute pénible, de découragement.

La programmation était certes plus étroite qu'aujourd'hui, les distributions soumises à la hiérarchie, mais quelle joie quand on trouvait son nom inscrit au tableau de service.

Il semble que la situation se soit inversée, les danseurs sont gavés de ballets, de chorégraphes, de rôles. Ils n'ont plus le temps d'apprécier ni de désirer, plus la curiosité du lendemain. Ils se plaignent d'être jugés sur une seule ou deux représentations, au cours desquelles il faut tout donner d'un coup, sans droit à l'erreur, au repentir, à l'évolution. Comment une danseuse Étoile peut-elle trouver sa personnalité, dans *Le Lac des cygnes* par exemple, si elle le danse une ou deux fois par série. Elle commencera à habiter le rôle à partir de la quatrième représentation. Mais point trop n'en faut non plus, l'alchimie est délicate.

Quoi qu'il en soit, distribuer autant que programmer sont des arts difficiles, qui comportent autant d'évidences que de surprises, oscillant entre confort et déséquilibre, prudence et audace, pour nourrir cette hydre à trois têtes, le public, le chorégraphe, le danseur. Brigitte Lefèvre qui assure ce rôle à la direction du Ballet pourrait en parler savamment.

Les distributions fonctionnaient autrefois sur le système de la série attribuée à une danseuse, une autre interprète assurant la doublure. Les chorégraphes, quant à eux, travaillaient sur une personne en particulier : Claire pour *Notre Dame de Paris* de Roland Petit, ou *But* de Michel Descombey, moi pour *Daphnis et Chloé* de George Skibine, ou *Pas de dieux* de Gene Kelly.

Un ballet fait sur soi est, sans contestation possible, tous les danseurs vous le diront, l'aventure la plus excitante. *Giselle*, *Sylvia*, les princesses du *Lac des cygnes*, autant de paris à remporter, mais une création est un investissement ultime, un face-à-face avec un chorégraphe.

J'ai eu ce privilège à plusieurs reprises.

Et si j'osais ?

À partir de *L'Atlantide*, rien ne sera plus comme avant. Transformée par mon aventure américaine et par cette création, j'ose. J'ose ouvrir la bouche, dire ce que je pense, proposer des innovations et, chose étonnante, cela marche.

Georges Hirsch sait ce qu'il me doit et me traite dorénavant de façon plus amicale, il y aura malgré tout de nombreux accrochages entre nous.

Je propose d'ouvrir à l'Opéra un cours mixte pour les Étoiles, confié d'abord à Serge Peretti, puis à Sacha Kalioujny. Cet entraînement est important à cause du travail croisé qu'il induit. Les exercices ne sont pas les mêmes pour les filles et les garçons et développent des qualités différentes. C'est pendant longtemps le seul cours mixte avec le cours d'adage ouvert par Lifar.

Cet ajout au tableau de service est possible parce qu'à l'époque nous avions du temps libre, peu de répétitions et seulement deux ou trois représentations par semaine. Ainsi est né le cours de midi, qui précédait les répétitions.

Je demande et j'obtiens aussi un cours de jazz, ouvert à la fin de l'année 1962, qui reste facultatif. On ne voit pas travailler Jerome Robbins à New York impunément ! Je lance d'ailleurs le nom de Robbins à tous les échos, espérant quelque suite, mais cette fois sans résultat.

Gene Robinson, que j'ai vu travailler chez Constant, en est le premier professeur. Ce grand Noir américain, originaire de Detroit, est arrivé à Paris en 1948 avec la Compagnie de Katherine Dunham et y a posé ses valises. Claire Motte, Jean-Paul Andréani et moi nous suivons ses cours avec passion en y entraînant les danseurs du Ballet.

Parallèlement, les conditions de travail et les salaires s'améliorent grâce à l'action des délégués du ballet, qui deviendront d'ailleurs souvent eux-mêmes maîtres de ballet.

Que la vie est facile tout d'un coup ! J'en profite pour devenir une fanatique du volant. À la pause des répétitions, je file au Jardin des Tuileries en 4 chevaux promener l'un ou l'autre des nombreux chiens de ma vie. Traverser Paris n'est rien à cette époque et j'ai largement le temps de faire le trajet aller-retour et la promenade hygiénique.

Je vais aussi organiser moi-même des tournées, c'est une grande première dans le Ballet. Je monte « le Groupe des Sept », avec Claire Motte et Attilio Labis, puis suivront Cyril Atanassof, Georges Piletta, Jean Guizerix...

Albert Sarfati est notre imprésario et nous voyageons pendant tout notre mois de vacances, seules l'Afrique et l'Asie nous échapperont.

Nous dansons de tout, partout, *L'Œuf à la coque*, *Suite de danses*, *Le Combat de Tancrède et Clorinde*, le *Grand pas* d'Auber, mais aussi *Giselle*...

J'apprends à bâtir une programmation et à ce qu'elle réponde à toutes les exigences matérielles d'une tournée, comme à toutes les exigences artistiques et personnelles de mes camarades. Osons l'écrire, les plus difficiles à contenter sont les garçons, qui se trouvent régulièrement moins bien mis en valeur. Je dépense des trésors de psychologie pour leur faire comprendre combien il serait judicieux qu'ils ne choisissent pas tous des codas construites sur les mêmes enchaînements de pas, et que le public finit par se lasser de voir des grands manèges de jetés.

Les réunions préparatoires ont lieu dans ma loge au palais Garnier. Les murs gardent encore le souvenir de ces séances houleuses et de nos fous rires.

Au cours d'une de ces tournées, aux États-Unis, à Jacob's Pillow, je m'essaie à la chorégraphie avec un ballet burlesque intitulé *Flash Ballet*.

Nous avons parfois un orchestre, parfois un piano. Jean Laforge nous accompagne toujours. Michel Rayne résout les innombrables problèmes de régie.

Quand cela est possible nous prenons un cours chaque jour, sinon nous devons nous contenter d'un échauffement avant le spectacle. Un volontaire donne les commandes nécessaires au déroulement de la classe. J'apprends à veiller à ce que chacun trouve à la barre les exercices qui conviennent à son entraînement. Je suis très souple et je me chauffe rapidement, mais j'ai besoin de beaucoup d'exercices pour le travail des chevilles. Claire, par contre, a besoin d'une longue série de grands battements pour se mettre en forme.

Grande première aussi, pour que nos valises soient moins lourdes j'ai demandé au Service de la Couture de nous fabriquer des tutus en nylon. Après avoir souffert pendant des années dans des tutus en tulle de coton ou de soie plus ou moins propres et impossibles à nettoyer, agiter un tutu en nylon dans une baignoire, d'où il sort comme neuf, est un plaisir des plus extrêmes !

Ces tournées m'ont permis de découvrir un pays dont je rêve toujours aujourd'hui. Dans les jours sombres, quand rien ne va, lorsque les tracas, le plus souvent d'ordre administratif ou financier, encombrent mon horizon, je rêve d'émigrer en Australie, pour la beauté des paysages, parce que c'est un pays neuf par rapport à notre vieux continent et que tout y semble encore possible, peut-être aussi parce qu'il est aux antipodes.

Lors d'une tournée d'un mois, en août 1961, organisée

à la demande des autorités australiennes, avec Attilio Labis comme partenaire et Roger Boutry, qui deviendra chef d'orchestre de la Garde Républicaine, tantôt comme pianiste, tantôt comme chef d'orchestre selon les ressources locales, nous y avons dansé un répertoire très varié, avec des pas de deux chorégraphiés par Janine Charrat et Roland Petit, ou des extraits de ballets classiques. À Melbourne d'abord, ville de tradition anglaise, nous avons été reçus par la Compagnie de ballet australienne, qui y dansait *Études*. Le public, très froid au début, s'est peu à peu dégelé et a applaudi avec enthousiasme à la toute fin du spectacle. Lors d'une autre représentation, alors que nous dansions des extraits de *Suite en blanc*, le flûtiste a tellement dérapé que l'orchestre a dû s'arrêter et reprendre. À Sydney, où le fameux Opéra n'était pas encore construit, nous avons été accueillis par les représentants de la firme Renault qui y était installée. Ils ont mis à notre disposition une petite voiture, la Floride, qui nous a permis de sillonner l'admirable baie. Perth et Adelaïde, les deux dernières villes de notre parcours, m'ont laissé moins de souvenirs.

Tout ce qui permet de casser la routine me plaît et, comme les tournées, les galas apportent quelque imprévu à la vie de l'Opéra alors trop bien réglée. Dans les Jardins des Tuileries, au mois de juin, la « Kermesse aux Étoiles » réunit pendant trois ou quatre jours des écrivains et de nombreux artistes de toutes les disciplines. Signatures de photos, dédicaces de livres, tours de chant, buvettes et guinguettes animent des stands, dont celui de l'Opéra, sur lequel un public ravi rencontre ses idoles. Sur une scène improvisée, les élèves de l'École et le corps de ballet donnent de petits spectacles. Cette manifestation, organisée par les anciens de la 2ᵉ DB pour des œuvres caritatives, est à la fois très officielle, inaugurée par le président de la République, et très joyeuse.

Les galas de l'Union des Artistes, pendant les années 60 à 70 m'offrent une belle aventure. Ils constituent une fête annuelle à laquelle participent toutes les catégories d'artistes, acteurs, danseurs, chanteurs, vedettes de cinéma. Les numéros étaient préparés dans le plus grand secret, annoncés en piste par un Monsieur Loyal, incarné rituellement par le plus prestigieux acteur de l'année. Le public – amateurs de toutes les disciplines artistiques et tout-Paris de l'époque sur son trente et un – était enthousiaste. Les gens du cirque nous apportaient leur esprit de famille et ce charme indéfinissable de la piste. Endosser, pour un soir, une peau qui n'est pas la sienne demande beaucoup de travail, surtout quand le risque est pris une seule fois devant ses pairs, il n'y a pas de session de rattrapage. Renouant avec mes passions de gosse, selon l'expression consacrée «j'aurai tout fait» : femme serpent avec Roger Hanin, acrobate cycliste sur un tandem avec Vittorio De Sica, écuyère avec Claire Motte et Alexis Grüss. Pendant toute une saison je me suis entraînée au saut périlleux chez Guichot, professeur d'acrobatie dont le cours était à Pigalle, je serrais le trapèze, j'avais des ampoules aux mains et j'ai fini par enfiler des gants pour travailler, mais j'étais ravie. Mon goût du risque et de l'effort physique était comblé.

Tout artiste vit une prise de risque. Pour le danseur, se présenter devant le public conjugue deux types de dangers : technique et artistique. Mais au cirque le risque est tout autre, il mène au-delà des extrêmes, ouvre sur la mort.

Autres sorties, certes moins périlleuses, les soirées à l'Élysée étaient fort nombreuses du temps du général de Gaulle et du président Giscard d'Estaing. Nous étions transportés en car depuis l'Opéra et, après avoir dansé sur une scène minuscule, cloîtrés dans une salle à part, hors de la présence des invités, mais où les maîtres de l'Élysée venaient nous féliciter. Un dîner nous était servi, puis retour en car avec bouquets en plus !

Bien plus tard, Georges-François Hirsch me fera un grand cadeau – hors Opéra – en m'envoyant à l'imprésario de Michel Fugain, qui cherchait des chorégraphies pour son «Big Bazar» et ses soirées à l'Olympia. Quand je suis arrivée, toute l'équipe était au garde à vous dans les couloirs pour accueillir l'Étoile de l'Opéra. Cela n'a pas duré long-temps et nous avons fait un gros travail en commun, ponc-tué de fous rires. Le show-biz est un milieu formidable, sans interdit, on peut y avoir envie de tout faire, et le faire !

De quelques créations

Le Bel Indifférent est d'abord une pièce de théâtre, monologue écrit par Jean Cocteau pour Edith Piaf qui le créa en 1940 pour ses débuts au théâtre, aux Bouffes-Parisiens, dans un décor et des costumes de Christian Bérard. Paul Meurisse était son partenaire muet. Robert Manuel me demanda d'apprendre le rôle pour un gala du Lions Club qu'il organisait. De là naquit l'idée d'en faire un ballet, que je créai à l'Opéra de Monte-Carlo, puis à l'Opéra-Comique en 1957, alors que le palais Garnier traversait une de ces longues périodes de grèves qui émaillent son histoire. Du texte de Cocteau, Lifar avait gardé une seule scène parlée, celle du téléphone au début de la pièce.

Cela me donna l'occasion de travailler avec Jean Cocteau, de fréquenter sa maison de Milly-la-Forêt et la clique de Marie-Laure de Noailles, autrement dit, galas, réceptions, dîners, salons, et aussi un milieu culturel plus ouvert, un monde plus large que ceux que j'avais connus jusqu'alors. Cocteau venait beaucoup aux répétitions et discutait pied à pied avec le décorateur Félix Labisse dont il trouvait le décor, une minable chambre d'hôtel rouge sale, trop concret.

Mon partenaire dans ce long pas de deux était le beau Max Bozzoni, surnommé affectueusement « le coq de l'Opéra », qui avait été, avec Jean-Bernard Lemoine, mon premier partenaire aux cours d'adage donnés par Lifar. J'ai vécu sept ans avec Max, et beaucoup dansé ce ballet.

Nous y avons obtenu de grands succès. Je me souviens encore des dix rappels le soir de la première avec, battant des mains en cadence dans la salle, une pléiade d'artistes et de gens du monde dont Marie Bell et Alicia Markova, venus pour Cocteau, pour Piaf et peut-être un peu pour les danseurs.

Les journalistes me surnommèrent « la B.B. de la danse », ce qui, voulu comme un compliment, me causa finalement beaucoup de tort dans le sérail de l'Opéra.

Épisodiquement, je danserai aussi avec Peter Van Dijk. Notre partenariat pour la création du ballet de Lifar *Noces fantastiques*, où ce beau capitaine partageait son cœur entre Nina Vyroubova, sa fiancée, et moi, la reine de la mer, commença mal. Peter détestait les portés et le faisait savoir. À la Rotonde, lors d'une des dernières répétitions avec le corps de ballet, nous enchaînons la chorégraphie, montrant les variations répétées précédemment en huis clos avec Lifar. L'instant est important : le Ballet voit pour la première fois ces passages le plus souvent difficiles, d'une haute technicité, et jaugent les Étoiles. Peter pestait et peinait, il me fait tomber et j'atterris sur les deux genoux. Je lui dis fermement, en me relevant : « Peter c'est la première fois et la dernière fois, sinon je vous gifle devant tout le monde ! » Nos pas de deux devinrent à partir de là un enchantement, et nous nous sommes fort bien entendus.

Après le départ de Michel Renault, Attilio Labis débutera sa carrière en devenant à son tour mon partenaire. Beau et bon danseur, au magnifique physique, c'était aussi un partenaire très attentionné et très recherché. Il aimait appliquer les préceptes d'élégance de l'école russe qui l'impressionnait beaucoup.

Il avait un grand sens du mouvement, cela lui permit d'interpréter des styles qui ne lui étaient pas familiers, comme par exemple la chorégraphie de Gene Kelly pour *Pas de dieux*.

Lorsqu'il s'envolera pour danser avec Margot Fonteyn, Rosella Hightower ou Carla Fracci, puis avec son épouse l'Étoile Christiane Vlassi, je me retrouvai sans partenaire.

J'avais remarqué dans le Ballet le jeune Cyril Atanassoff, que j'avais présenté, tout comme Noella Pontois, dans une émission de télévision alors célèbre, *L'École des Vedettes*, réalisée par Aimée Mortimer. Je pensais, à raison, que ces jeunes danseurs étaient prometteurs.

Cyril deviendra mon partenaire, comme le seront plus tard Georges Piletta, puis Michael Denard avec qui je ferai mes adieux à la scène.

Je n'aurais garde d'oublier, dans ces quelques souvenirs de mes partenaires, Jacques Chazot, qui fut une personnalité du tout-Paris pendant trente ans, bien oublié aujourd'hui.

Jacques appartenait à la Compagnie de l'Opéra-Comique. Nous avons beaucoup travaillé ensemble, notamment pour des émissions de télévision, et partagé d'innombrables fous rires. Lors d'une soirée du Nouvel An, nous tournions ainsi par un froid glacial un pas de deux sur le pont Alexandre III. J'avais un superbe costume en voiles blancs, d'un exquise et vaporeuse matière, qui me transformait en… savonnette. Au signal donné, Jacques et moi, toutes voiles dehors, courions l'un vers l'autre, je me jetais dans ses bras, et… lui glissais entre les mains. Au bout de quelques reprises de l'exercice nos crises de fous rires nous avaient même fait oublier le froid. L'équipe de télévision tenta de nous calmer en nous enfermant séparément dans deux bistros voisins. Peine perdue, au premier regard c'en était fait, nous nous tordions de rire, incapables de refréner notre gaieté, et le tournage ne put jamais reprendre.

Une autre création marquante fut *Daphnis et Chloé*,

qui restera un de mes plus grands plaisirs, car doublé des couleurs de Chagall.

Serge Lifar avait réglé très vite, trop vite, une première version de ce ballet en 1958 pour l'Exposition universelle de Bruxelles, mais sans succès, et nous ne l'avons donnée que deux ou trois fois. Skibine fit donc en quelque trois semaines une nouvelle chorégraphie, conservant la même distribution et les mêmes décors de Marc Chagall. Il fallut aussi remanier les costumes qui avaient été faits fort rapidement et dans lesquels il était difficile de danser. Je participai au travail avec l'artiste et avec Renée Trosseau, directrice des Ateliers de Couture, ce qui fut passionnant et m'apprit énormément de choses que je réutiliserai une fois directrice de l'École. Avec l'assentiment de Chagall qui, accompagné de son épouse, venait régulièrement à l'Atelier Madame Renée allégea les costumes. Elle épingla directement sur moi les fleurs qui ornent la tunique bleu ciel de Chloé. Skibine demanda que je garde les cheveux dans le dos, coiffure libre assez rare dans le Ballet à l'époque. Il dansait lui-même Daphnis. J'aurai ensuite bien des partenaires dans ce rôle : Attilio Labis, Jean-Pierre Bonnefous, Erik Bruhn, Georges Piletta, Michael Denard.

Skibine venait d'être nommé maître de ballet. Engagé par Georges Hirsch, il était entré d'abord dans le Ballet de l'Opéra-Comique, puis était passé à l'Opéra. Nous le connaissions déjà bien, comme chorégraphe et comme danseur. Très grand avec son mètre quatre-vingts et ses longues jambes, très beau et très bon danseur à la technique brillante, excellent partenaire, il avait du caractère et du charme. Travailler avec lui était un plaisir.

Il était venu avec sa femme, Marjorie Tallchief, d'origine indienne, surnommée « la squaw », elle était silencieuse et efficace et avait été nommée danseuse Étoile.

George et Marjorie avaient « bourlingué » à travers le monde, travaillant au sein de diverses compagnies, enchaînant les tournées en Europe et en Amérique. Marjorie m'impressionnait par sa grande technique et par la puissance de sa danse. Elle avait très nettement une autre façon d'utiliser son corps que la nôtre, plus énergique, privilégiant la force, attaquant – à prendre au premier sens du mot – les pirouettes et les fouettés.

Les engagements « en couple » étaient alors fréquents : George Balanchine et Maria Tallchief, George Skibine et Marjorie Tallchief, qui était la sœur de Maria. De même que les rôles étaient l'apanage de telle ou telle Étoile, les partenaires s'appartenaient avec une fidélité quasi conjugale.

Jean-Pierre Bonnefous était surtout le partenaire de Claire Motte. Ils formaient un couple admirable dans *La Péri*, ou dans *Notre Dame de Paris*. Elle me le « prêta », notamment pour *Daphnis*. Jean-Pierre était la beauté même, de la tête aux pieds, la douceur et la gentillesse incarnées, toujours souriant, rendant les pires choses simples et faciles. Il fut un des premiers danseurs à avoir un véritable « club de fans », organisé par un de ses admirateurs. Quand Balanchine lui proposa d'entrer au New York City Ballet, il accepta, car les caractéristiques de cette Compagnie étaient plus proches de son idéal que celles de l'Opéra. J'ai gardé pour lui une grande tendresse. Comme tous les vrais amis, même si nous ne nous voyons pas pendant des mois ou des années, au jour des retrouvailles l'entente est immédiate. Au détour des coulisses d'un théâtre, des couloirs d'un aéroport nous nous croisons, amis comme toujours.

J'ai remonté *Daphnis et Chloé* en 1990, pour le spectacle de l'École de Danse. Le rôle principal était confié à Marie-Agnès Gillot, toute jeune fille de quinze ans, qui entrera cette même année dans le Ballet. Elle avait déjà la technique et l'abattage qui lui permettent aujourd'hui de tout danser, classique et contemporain, mais pas encore la présence qu'elle dégage aujourd'hui. Il y avait alors en elle une faille de fragilité qui en faisait la Daphnis idéale, bien que brune !

Je retrouvais bientôt Gene Kelly que je n'avais jamais

perdu de vue depuis ce fameux tournage de *L'Invitation à la danse*.

En 1959, il m'invita à Hollywood pour tourner un « Gene Kelly Show ». Nous étions trois danseuses, une française, une italienne, une suédoise en pension dans la cité du cinéma, tenues plus serrées que les demoiselles de la Légion d'Honneur.

Nous avions tout pour être heureuses : un grand boulevard, de grands studios, un grand hôtel, un grand appartement, une grande piscine. Une grande limousine venait nous chercher le matin à huit heures sonnantes pour nous livrer aux studios. Les opérations de maquillage, coiffure, échauffement, habillage, répétition, tournage, visionnage, correction, re-tournage, revisionnage nous amenaient à dix-neuf heures. Une douche à l'hôtel, un dîner de bonne heure chez Kelly, auquel il invitait les responsables de la production, et hop au lit !

On nous accorda tout de même une ou deux sorties, ce qui me permit d'être invitée à une première par Cary Grant. Je me souviens de Cary Grant, – quelle escorte ! – mais pas du film ! Grand travail et grande efficacité étaient de mise dans ce paradis de celluloïd.

Je demandais à Gene de me faire un ballet et proposais ce projet à l'administrateur de l'Opéra. Tout fut facile dans cette affaire, chorégraphe et directeur étant pareillement enthousiastes.

L'année suivante Gene Kelly est donc arrivé à Paris avec *Pas de dieux* tout prêt, pour la musique comme pour la chorégraphie. Son assistante, Helen Rae, dont le nom de femme mariée était Mrs France, ce qui nous fit bêtement rire, l'avait précédé de deux mois pour nous faire travailler la danse jazz et préparer les séquences.

Le soir de la première, le 6 juillet 1960, la technique était dans un état catastrophique d'impréparation, les changements et les effets demandant des manœuvres très compliquées. Lors des changements de décors, le vacarme sur scène était tel que le chef d'orchestre dut s'arrêter et attendre le silence.

Cela n'empêcha pas le public d'applaudir. Yves Montand, René Clair, Madeleine Renaud, Jean-Louis Barrault, Gérard Bauer, Jules Dassin, Dany Robin, Nicole Courcel, tout comme Sam Goldwyn et Amory Houghton, l'ambassadeur des États-Unis, battaient des mains en cadence. Même Carlotta Zambelli se déclarait enchantée, ce qui venant d'elle n'était pas un mince compliment.

À l'issue du spectacle, dans le Foyer de la Danse, l'administrateur A-M Julien décora Gene Kelly de la Légion d'honneur. Kelly répondit à son petit discours : « J'ai obtenu le résultat que je voulais ; tout le monde s'est amusé, les danseurs, les musiciens, les spectateurs et moi-même. »

J'aime ce ballet si gai qui mêle danse et comédie et, quinze ans plus tard, je ferai mes adieux officiels à la scène dans le rôle d'Aphrodite.

L'année suivante, je continuais à m'amuser avec *La Belle de Paris*, charmant divertissement chorégraphié par Jean-Jacques Etcheverry, le maître de ballet de l'Opéra-Comique, sur des tubes de Georges Van Parys, décoré et habillé par le peintre René Gruau.

La préparation de ce ballet fut un vrai plaisir, grâce à ce trio et… au mainate du compositeur qui sifflait tous les airs. Van Parys m'avait proposé de danser et de chanter, j'avais refusé ne voulant pas me lancer aux côtés d'une telle distribution et d'un vrai chanteur comme Jacques Jansen.

Georges Van Parys était l'auteur de nombreuses musiques de films et de chansons pour les plus grands interprètes de l'époque, de Maurice Chevalier à Mouloudji, de Cora Vaucaire aux Compagnons de la Chanson, sa présence bousculait quelque peu nos dignes scènes lyriques.

Le ballet présentait une évocation du Paris de la Belle Époque. Tenant en laisse mon teckel Iclo, et toujours suivie d'un amoureux incarné par Jacques Chazot, qui fut nommé Étoile à cette occasion, je m'y promenais dans de ravissants costumes, incarnant une midinette, devenue grande courti-sane et dînant chez Maxim's.

Cette bluette sans prétention, qui eut un grand succès, irrita les partisans du style académique et déclencha les foudres des tenants du style sérieux, qui pensent toujours aujourd'hui qu'un spectacle intéressant est forcément ennuyeux.

Et de quelques rendez-vous manqués...

Lorsque Léonide Massine vint monter sa chorégraphie de *La Symphonie fantastique*, créée en 1936 à Londres pour les Ballets Russes de Monte-Carlo, nous l'attendions avec curiosité. L'aura des Ballets Russes en faisait un personnage de légende. Nous vîmes arriver un petit homme brun, sympathique et vif, fort original, qui faisait sa barre avec des exercices qui n'appartenaient qu'à lui, en pantalon de golf et en chaussures de ville. Il réunit toute la distribution au Foyer de la Danse pour nous passer un film muet de son ballet. Sur l'écran, monté pour l'occasion, tremblotaient des images floues en noir et blanc, qu'un malheureux pianiste tentait de rattraper à la course. Léonide n'expliquait rien mais s'agitait beaucoup, toujours avec la plus grande gentillesse. Une pagaille noire régnait, qui s'unifia bientôt dans un immense fou rire général.

Quoi qu'il en soit, nous finîmes par aller en scène pour ce ballet qui comporte des idées de mise en scène magnifiques, notamment à la fin de l'œuvre.

À mon grand étonnement, Massine me demanda par la suite de travailler avec lui pour un ballet sur une musique de Mozart, *Divertimento*, que nous avons créé Peter Van Dijk et moi à Enghien. Massine travaillait très vite, sur la partition, en suivant très précisément les comptes et l'analyse de la musique. Il crayonnait de petits schémas qu'il était seul à pouvoir lire.

Danseurs et chorégraphes ont ainsi une écriture imagée qui leur est propre. Serge Golovine dessinait scrupuleusement, sur des plans de la scène, toutes les positions, tous les parcours, tous les croisements. Pour ma part, je n'ai besoin d'écrire que quelques situations, les mouvements de foule.

Les écritures « officielles » de la danse sont assez compliquées et demandent un long apprentissage, pour l'analyste/écrivain comme pour le lecteur. Le film me semble la méthode la plus rapide, à condition qu'il ait été conçu à cette fin de mémoire. Pour les spectacles de l'École, nous filmons une vue générale du ballet, puis les groupes : droite, gauche, milieu. La distribution une fois précisée, les enfants apprennent ainsi les enchaînements et les parcours, puisqu'ils savent exactement ce qu'ils auront à faire. Après cette préparation, il faut naturellement nettoyer, corriger, préciser, caler…, mais le travail est plus rapide.

Avec Roland Petit, j'irai de rendez-vous manqué en rendez-vous manqué !

Notre-Dame de Paris, son premier ballet pour l'Opéra, sera pour Claire, inoubliable dans le rôle d'Esmeralda, et lorsqu'il créera *Turangalila Symphonie*, en 1968, je suis immobilisée à la suite d'un accident de voiture.

Conçut-il quelque amertume lorsque je fus nommée provisoirement maître de ballet, alors qu'il avait dû se retirer devant la bronca qui accueillit ses propositions de modernisation de la Compagnie ? Il ne m'en a jamais parlé, mais peut-être a-t-il ressenti cette mesure comme une dépossession.

J'admire la diversité de son talent, il a goûté de tous les genres, du grand ballet classique à la revue type Casino de Paris, quelle créativité, mais aussi quelle chance d'avoir Zizi comme muse !

Je retrouverai Roland à l'École de Danse, qu'il viendra visiter avant de créer la sienne à Marseille.

Avec une grande générosité, il a fait répéter *Les Forains* aux enfants. Son impatience naturelle l'amenait à les traiter en adultes. C'est un homme pressé, il aime la rapidité dans la compréhension et dans l'exécution.

Michel Descombey succédera à George Skibine comme maître de ballet en 1962. Il est premier danseur dans la Compagnie et déjà un chorégraphe reconnu, il a choisi comme maître de ballet adjoint Attilio Labis. Michel est aussi délégué syndical et, au cours de ses nombreuses réunions avec l'administrateur, a pu faire valoir ses idées sur la direction du Ballet.

Comme bien des danseurs, Michel a le goût de l'aventure, à la fin de son contrat, en 1969, il bourlinguera avant de s'installer définitivement au Mexique.

Je créerai quelques-uns de ses ballets, *Symphonie concertante*, *Les Paladins*, *Sarracenia*, et surtout sa nouvelle version de *Coppélia* qui fera couler tant de salive et tant d'encre.

Je refuserai de danser *But*, car il l'a créé pour Claire.

Nos relations seront toujours quelque peu embarrassées, probablement à cause de cette hiérarchie si prégnante. Il a du mal à oublier la danseuse Étoile et à ne voir que le « matériau » lorsqu'il règle sur moi. Le processus traîne en longueur et je suis gênée de le sentir gêné, donc d'autant plus brusque.

Comment obtenir
de nouveaux rôles?

Le soutien du maître de ballet, Lifar ou Lander, n'est pas suffisant. Même si Lifar a officiellement les pleins pouvoirs, les distributions sont faites par l'administrateur qui, humain, trop humain, a ses préférences! Son poids dans la balance est variable, si Lehmann laisse totalement faire Lifar, Hirsch intervient fréquemment. Cela donne lieu entre nous à de jolies bagarres.

Au printemps 1959, Marjorie Tallchief et George Skibine répètent *L'Oiseau de feu*. Je dois danser le rôle de l'Oiseau. La veille de la première, je travaille seule au Foyer de la Danse, mon camarade Roger Ritz, devenu régisseur, entrouvre le rideau qui clôt cette pièce et me dit: «Ne te fatigue pas, ce n'est pas toi qui danses demain.» Furieuse, j'enfile un peignoir et me rue dans le couloir de l'administration. La secrétaire de Georges Hirsch m'interdit l'entrée de son bureau. Il est occupé, ne peut pas me voir. Je m'installe fermement dans le couloir, j'attends longtemps et, saisissant l'occasion, attrape au vol, des mains d'un garçon ébahi, le plateau du dîner de l'administrateur. Munie de ce sésame, j'entre dans le saint des saints et, chauffée à blanc, incendie Georges Hirsch. En retour, il prétexte une erreur dans l'affichage au tableau de service, le ton monte, les répliques fusent et il me jette à la porte. Lifar va arrondir les angles, ce qui ne sera pas facile car cette fois Hirsch est déterminé. Le Maître fait valoir qu'on ne peut traiter un danseur de cette façon, qu'on ne peut afficher puis désafficher sans raison et sans explication. Il promet que je viendrai faire amende honorable, ce à quoi je me refuserai toujours. L'affaire s'arrêtera là.

Bizarrement, mon audace – et ma violence même – à mettre les choses au point face à face me vaudront d'être distribuée huit jours plus tard. Je ne rapporte pas cet incident comme exemple à prôner aux jeunes danseurs, loin de là, mais comme une rareté de ces temps révolus, un affrontement direct, alors que les dés sont souvent biaisés par des racontars de coulisses ou des coups bas anonymes.

Ainsi, j'ai fini par obtenir de Lifar le rôle-titre de *Phèdre*, dont je rêvais pour son contenu dramatique. Personne ne m'y voyait et j'ai créé la surprise lors d'une tournée à Moscou, aidée par un maquillage très spécial qui me rendait méconnaissable.

Tamara Toumanova m'avait laissé un souvenir inoubliable lors de la création de ce ballet en 1950. J'étais distribuée dans une des trois suivantes et, depuis le plateau, j'admirais son énergie, le personnage tout en force qu'elle imposait. Ce fut pour moi une chance de l'avoir ainsi sous les yeux. Elle était danseuse pour la chorégraphie, actrice pour l'action, ce qui avait été réglé était une chose, ce qu'elle en faisait une autre.

Cocteau l'avait beaucoup fait travailler, surtout pour les essais de son long manteau rouge. Il était présent partout à la fois, sur scène pour l'installation du petit théâtre, au service de la couture pour la fabrication des costumes et des perruques, dans la salle de répétition pour régler les groupes de danseurs. Il avait l'œil théâtral et savait parfaitement ce qu'il voulait. Lifar dansant le rôle d'Hippolyte et étant fort absorbé par son personnage, Cocteau prenait les rênes du spectacle.

Comme pratiquement tous les artistes, acteurs, chanteurs, danseurs, j'adorais mourir sur scène. Quelle volupté que ce rite de propitiation, ce choix du trépas ! Dans *Phèdre* la mort est raideur tandis que le corps se laisse envahir par l'immobilité. Elle n'est pas agitation puis rupture comme dans *Giselle*, mais une longue montée insidieuse du froid.

Pendant toute ma carrière, j'ai eu du mal à obtenir qu'on dépasse mon physique. Inscrite dans la catégorie : « une belle fille blonde, superbe en maillot académique », j'étais d'emblée distribuée dans ce type de rôle. J'ai horreur d'être ainsi enfermée dans un tiroir et rêve de personnages dramatiques qui me permettraient d'explorer mes possibilités de comédienne.

Cette horreur du maillot académique s'est nourrie de rôle en rôle. Elle est entrée dans sa phase aiguë dès 1955, lors de la création de *La Belle Hélène*. Ce ballet-bouffe, sur la musique d'Offenbach revue par Manuel Rosenthal, est chorégraphié par John Cranko sur un livret adapté par Marcel Achard et Robert Manuel. Quelle équipe ! Je dansais Vénus, aux côtés d'Yvette Chauviré, la Belle Hélène, dont j'étais aussi la remplaçante. Au départ Maurice Lehmann voulait un ballet « résolument gai » et avait pensé à Zizi Jeanmaire, mais l'Amérique retint Zizi dans ses filets de pellicule et Yvette emporta le rôle.

Comme chacun sait, le comique est ce qu'il y a de plus difficile à réussir. Ce ballet constituait donc un challenge.

Yvette se portait comme un charme et dansa toutes les représentations. Je n'eus donc pas l'occasion de la remplacer et restai condamnée à apparaître chaque soir dans la coquille en plâtre de Vénus, équipage convenu de cette déesse qui, depuis les spectacles des théâtres de boulevard au XIXe siècle, a pour auréole une coquille Saint-Jacques. De rage, j'obtins un drapé pour habiller mon maillot académique rose, symbole décent de la nudité sur toutes les scènes du monde, en attendant le règne du nu intégral.

Le Lac des cygnes

Aucun des grands ballets classiques de Marius Petipa n'est alors à notre répertoire.

Lifar remonte le seul deuxième acte du *Lac des cygnes* en 1936 et le danse lui-même, avec Marina Semenova.

Tamara Toumanova en fera un de ses rôles préférés et je la regarde avec admiration puisque je suis remplaçante dans le pas de quatre.

Incident tragi-comique, un soir, lors de l'adage, son partenaire Alexandre Kalioujny lui donne par mégarde un grand coup de coude qui lui déplace la mâchoire. Dans les coulisses, c'est le désespoir. Tandis que la mère de Tamara, qui ne la quitte jamais, multiplie les signes de croix et les lamentations, que Kalioujny aligne les excuses, Tamara souffre et s'agite, la Direction cherche un médecin, le Ballet commente. Du fond de ma mémoire j'extirpe un des bons conseils de mon grand-père et, du haut de mes seize ans, j'applique un grand coup de poing dans la mâchoire de notre princesse-cygne, côté pile, qui lui rend immédiatement forme humaine, côté face. Quelle audace, quel résultat ! Il ne me reste plus qu'à faire de plates excuses à cette brune Étoile.

En 1958, pendant que les danseurs du Bolchoï présentent la version complète du *Lac des Cygnes* au palais Garnier, le Ballet de l'Opéra, en échange, faisait une tournée à Moscou. Je dansais dans deux ballets de Lifar, le rôle-titre de *Phèdre* et celui de la Femme dans *Mirages*. En plus, hors programme officiel, je participais à un concert de danse Salle Tchaïkovski, au profit de la Maison des Artistes et je me taillais un énorme succès avec la variation sur la musique de la « valse du petit chien » de Chopin dans *Suite de danses*. Assaf Messerer, immense professeur que Rudolf Noureev invitera plus tard à l'Opéra, assistait à tous les spectacles et je prenais ses cours chaque matin avec ceux des danseurs du Bolchoï restés à Moscou. Tous les exercices étaient faits sur demi-pointes et les exercices de saut démontraient amplement l'incomparable primauté des Soviétiques.

Les fouettés étaient avalés à toute vitesse avec dégagés à la seconde, technique que les Russes pratiquent toujours aujourd'hui d'ailleurs. J'avais toujours eu beaucoup de mal avec ces maudits fouettés, à cause de problèmes de dos, et je les travaillais sans cesse. Me voyant peiner, Huguette Devanel, une de mes camarades dans le Ballet qui deviendra plus tard professeur, m'avait aidée en me conseillant d'adopter pour ce pas de tour : développé à la seconde, bras à la seconde, tour... Je montrais aux Russes cette variante nouvelle pour eux à l'époque. Sylvie Guillem adoptera cette façon de faire, en y ajoutant un arrêt à la seconde de face, qui porte à la plus haute maîtrise cet impitoyable pas de virtuosité.

Le public moscovite nous accueillit avec une incroyable chaleur. Ces gens qui n'avaient que très peu nous recevaient avec une générosité inconnue ailleurs.

La Compagnie était logée à l'hôtel Moskva, en face du théâtre. Contrairement aux prévisions, il faisait une chaleur torride et nous étouffions dans nos petits tailleurs en lainage. Depuis ma chambre, je téléphonais à ma mère à Paris, ce qui n'était pas alors une mince affaire, pour la prier de charger de mes robes d'été les valises de Robert Favre le Bret, le secrétaire général de l'Opéra qui devait nous rejoindre sous peu. Après avoir raccroché, je descendis dans le hall de l'hôtel, où notre charmante interprète me relata quasiment mot pour mot ma filiale conversation ! Nous étions tous bien entendu sur écoutes, guerre froide oblige.

Notre emploi du temps était assez serré et nous arrivions affamés et exténués au restaurant de l'hôtel, assez chichement fourni. Par contre, sur chaque table on trouvait à disposition un énorme pot de caviar. Pendant quinze jours, matin, midi et soir, je me bourrais consciencieusement de cette nourriture de luxe, elle déclencha chez moi une gigantesque allergie qui me fit rapatrier d'urgence en France. Existe-t-il une allergie plus snob ? J'en doute fort.

C'est ainsi que je pus applaudir le Ballet du Bolchoï et découvrir la version complète du *Lac*, quelque temps avant que Vladimir Bourmeister vienne de Russie pour la monter à Paris. Mais le souvenir le plus vif de cette Compagnie reste pour moi le *Roméo et Juliette* avec Galina Oulanova. Elle avait cinquante ans passés et interprétait ce rôle avec la fraîcheur d'une jeune fille de dix-huit ans.

Vladimir Bourmeister était déjà venu à Paris pour présenter *Le Lac* au Châtelet avec la troupe du Théâtre Stanislavski qu'il dirigeait alors. Nous l'avons attendu pendant une semaine car il était retardé par des problèmes de visa. Sortir d'URSS, même pour des raisons officielles, n'était pas à cette époque une plaisanterie. Il arriva enfin, accompagné de sa femme, la danseuse Antonina Kroupenina, et de son assistante Vera Boccadoro, ex-danseuse de l'Opéra installée à Moscou, qui sera sa traductrice.

Il reviendra en 1962 régler *Sur un thème*, ballet sur une musique de Bizet, et donnera au petit groupe de danseurs que j'animais une chorégraphie sur *Les Heures* de Ponchielli.

Bourmeister était un homme charmant, au beau visage

couronné de cheveux blancs, aux mains magnifiques, à la grande musicalité. Il travaillait de façon très rigoureuse, très précise. Il montrait admirablement, accompagnant ses gestes de quelques mots de français qui lui venaient naturellement puisque la terminologie de la danse académique reste partout au monde dans notre langue. Nous avons répété tous les jours pendant deux mois pour nous mettre en jambes ce ballet, d'autant plus difficile pour la Compagnie que nous n'avions pas l'habitude alors des œuvres en quatre actes avec changements rapides. C'était une grosse production pour la Maison, un grand enjeu pour le Ballet.

Au travail cérébral s'est amalgamé le travail du corps, mis en forme progressivement par rapport aux besoins : pour la danseuse la gestion du souffle, de la fatigue, des jambes et des pieds, comment soulager la jambe gauche qui est la jambe d'appui pendant toute la durée de l'adage et, pour le garçon, les problèmes de respiration, surtout au troisième acte.

Bourmeister nous faisait recommencer deux fois de suite l'adage et les variations, avec une très courte coupure de quelque deux minutes pour souffler. Il pensait cette endurance nécessaire pour pallier le trac et le stress du plateau lors des représentations. Je me souviens d'Attilio, exsangue, hors souffle, étendu de tout son long à la Rotonde et la voix bourrue de Bourmeister au-dessus de lui « Refaites ! » Ce travail sur la musculature est important pour éviter les accidents. Il nous faisait aussi répéter les parcours, quatre fois en descendant, quatre fois en remontant.

Le tableau de l'acte II avec les danses de caractère a permis une bonne communion avec le corps de ballet, heureux d'avoir à interpréter cette chorégraphie vivante et animée.

C'était un des seuls ballets avec une double distribution : Josette Amiel et Peter Van Dijk, qui ont fait la première, avec Attilio Labis et moi en alternance. Nous avons beaucoup tourné ensemble avec *Le Lac*, notamment en

Russie, j'aimais tout particulièrement le rôle d'Odette/Odile pour le travail d'interprétation, le rendu des intentions, l'opposition du cygne blanc et du cygne noir.

Jusqu'au *Lac*, la programmation chorégraphique avait une sorte de module de base, avec trois ou quatre petits ballets dans la soirée. La saison n'était pas connue à l'avance et la Compagnie n'osait même pas en avoir une idée. La programmation était faite de semaine en semaine, lors d'une réunion dite « de l'affiche ». Chaque Étoile tenait ses rôles en toute propriété, le tour de rôle n'existait pratiquement pas, sauf accident de dernière minute, on préférait d'ailleurs en ce cas changer la programmation plutôt qu'enfreindre la règle.

Pour *Le Lac*, il fallait d'évidence une remplaçante au cas où quelque accident surviendrait, Josette et moi étions donc respectivement d'astreinte, dans les coulisses ou chez nous à côté du téléphone, comme plus tard Claire, Jacqueline Rayet et Christiane Vlassi. Ce planning plus serré, raréfiant les permissions, créa des frictions qui s'apaisèrent au fur et à mesure des prises de rôles et ouvrit la voie au planning « à l'avance » et à la programmation par saison que devait imposer Raymond Franchetti quand il devint directeur de la danse.

Les distributions triples ou quadruples, ou plus encore, sont devenues la règle, il est vrai que la Compagnie est davantage sollicitée que de notre temps. Comme toute situation amenée par une évolution, elle a ses avantages mais peut-être aussi, poussée à l'extrême, ses inconvénients.

Lorsque Attilio et moi avons dansé *Le Lac* en Russie, lors d'une tournée de deux mois, je me suis sentie bien dans le rôle, l'angoisse des fameux fouettés de la variation du cygne noir se dissipant au fur et à mesure, tête et corps en parfaite harmonie.

Il est des rôles qu'il faut danser souvent et par longues séries de représentations.

Un autre exemple est celui d'*Études*, danser ce ballet

deux fois seulement aurait été impossible, la mise en jambes est inexorablement plus longue à s'établir. D'une génération à l'autre la machine est passée du sous-emploi à la surchauffe.

Pour l'heure, j'ai soif de créations et de nouveauté. Les Ballets du marquis de Cuevas, les Compagnies de Roland Petit, de Maurice Béjart me passionnent. Je rêve de créer un ballet d'histoire de toute une soirée. Je me vendrais pour danser *Fall River legend* ou encore *Le Joueur de flûte*, ballet de Jerome Robbins sur une musique d'Aaron Copland, que j'ai pu voir lors d'une tournée du New York City Ballet à Paris, en 1956. J'avais été passionnée autant par la chorégraphie que par l'esthétique de ce ballet, dansé en tenues de répétition, ce qui était alors une nouveauté, les danseurs arrivant les uns après les autres sur le plateau nu, selon des entrées bien évidemment organisées mais qui semblaient aléatoires. J'admirais cette expression corporelle liée à une exploitation artistique fondée sur les caractères de chacun, le chorégraphe s'exprimant au travers de ses danseurs tout en leur donnant matière à expression.

J'espère que George Skibine et Michel Descombey vont me proposer des rôles, je me sens bien et... en août 1967, dans l'euphorie des vacances, j'ai un grave accident de voiture sur une route espagnole, près de Figueras.

Livret pour un ballet
tragi-comique

L'histoire de cet accident pourrait faire un bon scénario, tragique ou comique, au choix, qu'on en juge :

Ouverture. J'ai fait un testament avant de quitter Paris, au sortir d'une nuit agitée de rêves où je me voyais mourante sur un brancard.

Acte 1 : Après un charmant dîner en bonne compagnie dans un petit restaurant, sur la route, une 2 CV roule vers Figueras avec quatre occupants : au volant, Max Continsouza, frère de Michel Rayne, je suis à son côté, la place du mort ! Son épouse Emma et un prêtre de leurs amis sont assis sur la banquette arrière.

Acte 2 : En pleine nuit, dans un tournant, avec le précipice côté jardin et la paroi rocheuse côté cour, la petite 2 CV percute violemment une grosse Mercedes, arrêtée au milieu de la route toutes portières ouvertes, car ses deux passagères en sont sorties précipitamment pour être violemment malades sur le bas-côté. Max et Emma sont blessés, je suis éjectée de la voiture, précipitée sur les rochers, inconsciente. Exit le prêtre ami qui, après nous avoir donné sa bénédiction, disparaît, avalé par le paysage et l'obscurité, sans que nous l'ayons jamais revu...

Arrive une DS, sa conductrice est française. Elle investigue les lieux du drame, me reconnaît et file prévenir... le curé du village voisin, qui immédiatement avertit la guardia civile.

Entre-temps, une quatrième voiture se présente. Nous ignorerons toujours sa marque et l'identité de son délicat conducteur qui, faisant office de bandit local, nous déleste de nos portefeuilles et de nos montres.

Entrée en scène du camion de carabiniers. Ses occupants investissent les lieux, ramassent les blessés, en commençant par Max et Emma. Ils me soulèvent et, me tenant pour morte, me balancent sans ménagement à l'arrière du véhicule, claquant la porte sur moi, ce qui me brise une cheville. La morte hurle, les survivants protestent, la police fait son office et conduit tout le monde à l'hôpital.

Acte 3 : Bien que, dans un réflexe incontrôlé, j'ai férocement mordu le bras du gendarme qui me sortait du camion, on me tient pour perdue. On m'installe donc, sans autre forme de procès, ni toilette, ni soins sur un lit, avec pour tout viatique deux bougies et un crucifix. Le lendemain matin, «la dame à la DS» vient constater les dégâts. Max et Emma ont été soignés et récupèrent. Elle insiste pour me voir aussi. Je gis toujours sur ce lit, horrifiée elle me secoue, le prétendu cadavre parle et dit : «Je vais mourir, prévenez ma mère.»

Cette admirable femme, dont je ne connaîtrai jamais le nom car, comme dans une opérette, elle rentrait la veille à l'insu de son mari d'une escapade avec le cuisinier de l'hôtel et ne veut pas que l'affaire s'ébruite, fourrage dans mon sac, trouve mon calepin et téléphone à mon frère.

Tandis que la femme adultère s'évanouit dans la nature, Europe Assistance, prévenu par mon frère, arrive avec deux médecins. Comme j'ai été déclarée (abusivement) morte par la police, les autorités espagnoles ne veulent pas me laisser sortir du territoire. Tandis qu'un des médecins retient l'attention des pandores par d'infinies palabres, l'autre m'enlève pour me ramener à Paris. La situation est d'un romantisme absolu, d'autant plus que ce médecin ravisseur est mon futur mari.

Acte 4 : J'arrive à l'hôpital Boucicaut dans le coma avec des traumatismes crâniens, sept côtes cassées, les deux poumons perforés, la clavicule droite en morceaux, le genou droit éclaté, le tibia droit et la cheville droite brisés. Le côté gauche est intact, *il resto va sano* comme on chante dans *Don Juan*.

Tomber de rideau : comme tout malade je tombe amoureuse de mon médecin et, deux ans plus tard, j'épouse le docteur Claude Gueveler.

Pendant plusieurs mois une autre pièce se jouera, celle du dossier des assurances, dossier quasi vide puisque la page du procès-verbal a été arrachée du registre de la guardia civile, que le curé, le chauffeur de la Mercedes et la femme adultère ont disparu et que pour l'hôpital de Figueras je suis morte !

Mon corps et moi

Nous nous trouvons ici au énième épisode d'une longue histoire, dont les derniers chapitres ne sont pas écrits, et que j'intitulerais volontiers : «Mon corps et moi». Étant donné l'importance du sujet, je passerai sur les bobos de l'enfance et les aléas mineurs pour me concentrer sur les faits les plus marquants.

En 1952, alors que je venais d'être nommée première danseuse et que j'avais été distribuée dans le ballet *Cinéma*, on découvre que je suis atteinte de tuberculose. Notre famille était dans une piètre situation. Mon père avait quitté le domicile conjugal, j'étais soutien financier, mon frère, jeune marié, faisait les marchés pour renflouer le budget commun et vivait très mal cette situation. Il avait contracté la tuberculose et nous avait contaminés, son fils et moi. Pour son traitement, il est envoyé au sanatorium du Plateau d'Assy.

Grâce à la danseuse Denise Bourgeois, une de mes camarades, je consulte un grand pneumologue, le professeur André Meyer, à l'hôpital Boucicaut. Il me prescrit un arrêt complet de toute activité et je passe près d'un an chez moi, alitée et condamnée à la suralimentation.

Suralimentation, certes, mais comment ? Nous vivions à quatre sur mon salaire, qui se trouve diminué puisque je ne peux pas danser. Une coalition amicale va tout faire pour me sortir de cette triste situation.

Le professeur André Meyer me soigne pendant un an sans frais, m'aidant et m'encourageant. Maurice Lehmann (dont la fille était morte de cette même maladie) me promet qu'il me gardera mon poste et mes rôles au sein du Ballet, il tiendra parole.

Après ces longs mois, je reprendrai peu à peu l'entraînement en suivant les cours de Serge Peretti, renforçant les liens d'une longue et précieuse amitié.

Maladie aujourd'hui presque éradiquée, du moins en Europe, la tuberculose était alors fréquente et frappait souvent les enfants de l'École de Danse. Les souvenirs des ballerines de ma génération en sont hantés et il suffit de lire les mémoires de Colette Sylva ou d'Odette Joyeux pour s'en persuader.

L'épisode suivant se déroule sur scène quelque temps plus tard.

J'ai repris, dans *Mirages*, le superbe rôle de la Femme, créé par Micheline Bardin. Michel Renault, mon partenaire, me rattrape de façon très musclée lors d'un porté, me cassant deux côtes flottantes. La situation familiale ne s'est pas améliorée, j'ai besoin d'argent et ne peux donc m'arrêter. Je décide de me faire bander le torse très serré et de continuer à danser. À ce régime une des côtes se ressoudera, l'autre non. Pour calmer la douleur, je porte des ceintures très hautes, baleinées qui feront bientôt fureur dans le Ballet (à quoi tient la mode !).

Je profiterai d'une fracture du métatarse, due cette fois à une chute lors d'une répétition du ballet de Balanchine, *Concerto barocco*, pendant laquelle, en effectuant un saut de chat, je me suis pris le pied dans mon collant de laine, pour me faire opérer et enlever la fameuse côte.

Puis vint cet accident de voiture, coup de tonnerre dans un ciel clair, alors que, pour une fois, tout allait bien.

Europe Assistance me transporte donc au Centre de réanimation de l'hôpital Boucicaut, où je serai soignée par les professeurs Lissac, Meyer et Méari.

Le corps médical me rassure, je vais guérir... et boiter tout le reste de ma vie. Je n'en crois rien et j'ai raison. Je pense, sincèrement, que si je n'avais pas été danseuse je ne m'en serais pas si bien sortie. Nous sommes habitués à répéter des séries d'exercices physiques en cherchant le mouvement juste, en dominant la douleur pour obtenir un résultat. Dans mon lit d'hôpital, comme à la barre, j'enchaînais donc avec ténacité les mouvements qui m'avaient été prescrits, obtenant des résultats qui sidérèrent le corps médical. Le poumon perforé, la plèvre collée, je dois récupérer une capacité respiratoire correcte. On me donne des exercices à faire et au bout d'un mois des infirmiers viennent me chercher pour me transporter au centre d'analyse. Partie d'une capacité d'un litre, j'avais récupéré jusqu'à quatre litres. Concluant à une erreur de résultat, le laboratoire refait l'analyse, non, le résultat est juste. On me remonte dans ma chambre où je suis bientôt entourée par un aréopage de médecins incrédules, et même un peu fâchés, qui m'interrogent « Mais qu'avez-vous fait ? » Pour m'occuper, j'avais répété l'exercice toute la journée. Dont acte !

Lorsque les choses semblèrent aller mieux, le chirurgien m'expliqua qu'il fallait maintenant m'opérer à nouveau pour réparer la clavicule, il y en avait encore pour quatre mois d'immobilisation. Devant mes protestations, il finit par accepter de me scier ce maudit os dont je prétends qu'il ne sert pas à grand-chose !

Sortie de l'hôpital, je respire l'air de la ville en claudiquant. Après de longs mois d'immobilisation, la coquetterie reprend ses droits. Mon corps a changé, c'est un bon prétexte pour faire des emplettes. J'entre dans un magasin proche du palais Garnier. De la cabine d'essayage où j'enfile un pantalon, j'entends les vendeuses, qui m'ont reconnue, s'apitoyer sur mon sort : « Tu as vu, c'est cette pauvre Claude Bessy. » Mon orgueil est grand, je ne supporte pas d'être plainte. En sortant, j'ai laissé ma béquille dans le magasin et j'ai franchi la porte sans aide, en serrant les dents, la tête haute.

Je réapprends mon corps en prenant les leçons que Raymond Franchetti donne aux enfants débutants au Studio Paramount. C'est peut-être le souvenir de ce moment, des cours de neuf heures du matin où, à la barre, aux côtés de petits enfants de huit ou dix ans, je reprenais les exercices de base, que l'idée lui viendra un jour de me confier l'École de Danse. La remise en forme dure un an, je ferai mon retour à la scène avec *Daphnis et Chloé*, puis *Coppélia*.

Daphnis avait été programmé spécialement à cette occasion. L'émotion régnait dans la salle comme sur le plateau. Lorsqu'au début du premier pas de deux je dois me lever et simplement faire quelques pas, les applaudissements du public ont éclaté. Attilio, mon partenaire, a été particulièrement attentif, il m'a aidée tout au long du ballet et spécialement lors des sauts dont je redoutais les temps d'appel et les réceptions.

Je proposerai ensuite, dans cet inventaire, un claquage au mollet ressenti pendant une tournée à Toulouse lors d'un pas de deux avec Attilio Labis, dont la cicatrice interne me fait toujours souffrir.

De plus, les danseuses connaissent bien souvent une mauvaise passe après leur sortie de scène. Je comptabiliserai donc trois opérations de la hanche. Puis, pour le détail comique, une rotule brisée pour avoir confondu table d'opération et cheval d'arçon, alors qu'on m'installait pour une opération de la cataracte. J'en ris encore et mes amis aussi.

À ce jour je m'arrêterai là, en attendant ce que demain me proposera. En faisant ce bilan, je me rends compte que mon corps a commencé à me faire souffrir de façon continue à partir de ce fameux claquage musculaire, quand j'ai atteint trente-six ans.

Tout être humain connaît ainsi un début de parcours de l'altération du corps. Les tendons, en particulier, vieillissent plus vite, il faut entretenir leur souplesse avec des exercices d'étirements progressifs.

Chacun de ces épisodes a été suivi d'une lente reconstruction, travail patient et acharné, reprenant les bases de la technique classique, les décortiquant au feu de la douleur, cela m'a servi à prendre le temps d'analyser ce que je pratiquais d'instinct.

La douleur est un garde-fou, une lampe rouge, signal qui doit impérativement être pris en compte. Quand le corps commence à se dégrader, débute une longue évolution au rythme de ces changements qui vont toujours vers le pire. La bouée et la boussole consistent alors en une parfaite connaissance de soi-même et un moral d'acier. Dans cet état spécial, l'étonnement va de pair avec cette dégradation des possibilités physiques. Comment s'imaginer que tout ne peut se remettre en place, revenir comme avant, remonter la marche du temps. Une fois admise cette irréversible vérité de l'âge et de ses maux, commence le travail sur la douleur, demandant un vrai contrôle de son corps, soumis à la réflexion.

Il faut prendre ces coups d'arrêt, qui mettent le cours normal d'une vie entre parenthèses, comme des moments de chance. Retrouver son indépendance, assumer seul les plus petits gestes de la vie, marcher sans aide, voilà déjà des sortes de miracles, danser, retrouver la scène, sont des illuminations. En même temps, un ressort est cassé. Si cette rupture est prise positivement elle permet un certain détachement par rapport au nombrilisme qui régit la vie du danseur.

Ce nombrilisme, protection contre le monde extérieur, me semble avoir quelque peu volé en éclats. Les danseurs d'aujourd'hui ont une importance médiatique moindre que celle que nous avons connue. La presse, la télévision, le cinéma les sollicitent parcimonieusement. Ils sont encore trop peu nombreux à prendre part aux luttes communes (ce que notre génération n'a jamais fait), mais ils utilisent mieux la parole que nous le faisions.

Mai 68 nous a sérieusement réveillés ! Avant cette date, quand je passe ma vie en revue, aucun événement n'affleure, je ne me reconnais pas d'opinion, d'investissement politique. La chute de Diên Biên Phu et le putsch des généraux pendant la guerre d'Algérie sont des événements qui flottent dans ma mémoire parce que, ces soirs-là, les représentations ont été annulées, mais pour le reste, un grand vide, que je regrette aujourd'hui, je suis passée à côté de tout.

Longtemps je n'ai pas lu les journaux, après ma nomination d'Étoile je me suis abonnée à l'Argus de la Presse. Mais seul m'importait l'avis de Lifar qui, par contre, attendait fiévreusement la sortie de la presse au lendemain d'une première. Le sort du spectacle dépendait alors de l'avis des critiques, ce qui n'est plus le cas aujourd'hui.

J'ai peu fréquenté ces grands critiques qui furent aussi pour certains d'entre eux des écrivains : Pierre Gaxotte pour *Le Figaro,* Vuillermoz, Olivier Merlin pour *Le Monde.* Plus tard j'aurai la chance de nouer des liens d'amitié avec Igor Eisner, alors qu'il était critique au *Spectacle du Monde.*

En Mai 68 l'Opéra s'est mobilisé, nous occupions le théâtre, notre slogan étant «protégeons notre outil de travail», contre les envahisseurs extérieurs bien sûr. Des danseuses de 45 kilos s'exerçaient à manier les lourdes lances d'incendie des pompiers, tout l'arsenal du magasin d'armurerie avait été distribué. Avec Jacques Joannin, régisseur de la danse, je faisais des rondes, casque sur la tête et gourdin, fabriqué en câbles par les électriciens, au poing. Quelle allure ! Dans notre enthousiasme à repousser les barbares, nous avons même failli nous transpercer mutuellement, tels des hallebardiers de comédie. J'avais été surnommée « la pasionaria de l'Opéra » et assurais la liaison avec nos camarades. Les machinistes voulaient une augmentation de salaire, les danseurs l'instauration d'un comité artistique. Nos intérêts divergeaient donc, mais l'implication du Ballet finit par nous donner la victoire.

Dans le microcosme de la danse, ces événements au retentissement national firent exploser l'opposition entre les jeunes forces de la danse contemporaine et les tenants du ballet classique, stigmatisé comme rétrograde et bourgeois. De chaudes discussions à la Sorbonne nous opposèrent, avec toute l'exagération oratoire de l'époque. Ce fut une très bonne expérience, la bulle de la danse classique devait s'ouvrir et l'a fait, de justes mesures ont été trouvées par la suite, au calme, pour que chacun ait sa place. Mais, reconnaissons-le, pour ma génération cette explosion fut un séisme et nous avons été longs à en reconnaître les aspects positifs.

Entrer en scène

Au fil des rôles, j'ai mis en place un rituel de métamorphose. Arrivée vers cinq heures, je vais faire une barre au Foyer de la danse, je regarde ces lieux chargés d'histoire dont le mystère est renforcé par la pénombre ambiante. J'investis la scène, je reconnais le plateau. Montée dans ma loge, je me maquille. C'est un moment important car j'éprouve du plaisir à me transformer moi-même. Je déplore les maquillages de scène actuels qui ne sont plus que des maquillages de ville. Nous sommes au théâtre, pas au cinéma ! Vive « Lola Montès » et le somptueux visage de Martine Carol. Maquillage, costume et coiffure font partie du cérémonial, dans le miroir de ma loge une autre me regarde, celle que je vais être pendant un temps si court mais avec quelle intensité.

Je redescends sur le plateau, les lumières, la vague excitation des personnels techniques, le bruit de la salle font partie de la mise en état nécessaire pour sortir des coulisses.

Je ne peux plus parler, ni écouter, rentrée en moi-même je ne peux contrôler mon trac, et puis je vais m'en servir comme d'un influx d'adrénaline, une sorte de drogue. J'ai les jambes molles, je tente deux changements de pieds et j'ai déjà perdu le souffle, en scène ce sera le désastre. Je me dis que c'est impossible, je vais m'en aller, rentrer à la maison, je ne serai jamais à la hauteur. J'entends la musique de l'orchestre et celle des battements de mon cœur, le rideau se lève. J'entre en scène.

À la fin de la représentation, le danseur est épuisé et envahi d'une satisfaction que rien d'autre ne peut donner. Nous avons conscience que ces moments exceptionnels nous mettent à part, hors du réel. Cela n'est pas donné à tout le monde. Quelle que soit l'issue du spectacle, on en sort grandi. En revanche, les choses de la vie ordinaire, celle du quidam, n'ont plus de précision, elles baignent dans le flou. Nous ne faisons le point que sur le monde du théâtre, le reste se déroule dans un brouillard d'irréalité.

Dure revanche des dieux, adulé pendant deux heures, le danseur se retrouve seul dans sa loge, et bientôt face à face avec un poulet froid entre les quatre murs de sa cuisine !

Le travail, la barre, le miroir, la forme, la répétition, le spectacle, un seul but : la danse. On y perd son humanité. Cette vie ciblée où professeurs, collègues, chorégraphes, répétiteurs vous poussent, vous aident, vous secondent, débouche sur une terrible solitude.

Les artistes vivent à travers le public, sentent si leur rayonnement passe au-dessus de la fosse d'orchestre, atteint la salle qui retient son souffle et renvoie à son tour de grandes ondes d'amour. Si l'alchimie s'opère, la danseuse est portée, évoluant en scène dans un état second, elle ne ressent ni fatigue ni douleur, cela reviendra plus tard.

Le spectateur, quant à lui, est soulevé de son fauteuil, hors du temps, il prend la place de l'artiste, gardera de lui un éblouissement.

J'ai toujours redouté le trou noir de la solitude après le baisser du rideau, redouté la phrase gentille des amis arrivés dans le dédale des couloirs du palais Garnier jusqu'à ma loge : « Tu es fatiguée, on va te laisser. » J'aimais retenir des gens dont le regard gardait encore un moment l'image enchantée, pour continuer à vivre à travers eux.

Il m'importait de savoir la présence dans la salle d'un parent, d'un amour, du maître de ballet. Parents et amis vous trouvent toujours magnifique, leurs compliments convenus vous mettent mal à l'aise, surtout lorsque votre propre opinion est cruellement différente. Ma mère ne m'a jamais félicitée, elle n'osait pas, parlait du ballet, de l'ambiance de la salle et restait dans le registre des banalités. En revanche, l'opinion du maître de ballet est importante. Après une très bonne représentation, Lifar disait : « Bien Bessy ce soir », et Skibine : « Ce soir c'était pas mal. » Ces quelques secs monosyllabes m'étaient plus précieux que tous les sublimes superlatifs de mon entourage.

Claire

Les amitiés vraies, auxquelles on peut se fier pour atteindre la vérité, sont rares dans notre métier. J'ai eu peu d'amies dans le Ballet. Quand Claire Motte est arrivée dans la Compagnie, en 1951, les bonnes âmes voudront tout de suite nous opposer, mais en vain, et nous déciderons d'un « cabinet de crise » hebdomadaire, le samedi, pour une revue de la semaine.

Tout est si proche et semble si lointain. Elle était claire, comme son nom. Lors de la première tournée du Ballet au Japon en 1963, nous étions toutes deux Étoiles et, n'avions jusqu'alors que de banales relations de bonne compagnie. Nous nous sommes retrouvées à la réception de l'hôtel à Tokyo, réclamant l'une et l'autre une chambre plus grande. Il en restait une… à deux lits. Notre amitié a commencé là. Elle était mon contraire : calme, réfléchie, sans colère, apaisante. Elle a été mon modérateur, mon balancier, ma sécurité. Elle m'obligeait à me calmer, à voir les choses de plus loin, hors d'un état passionnel. Tout devenait moins grave, plus simple.

J'admirais sa personnalité, j'admirais son travail, fondé

sur la volonté artistique et non sur des dons naturels. Grâce à sa grande connaissance du corps, elle passa sans problème, harmonieusement, de sa carrière d'interprète à celle de professeur. Professeur au Conservatoire, elle le fut aussi à l'École pour les troisième et quatrième divisions filles. Rudolf Noureev l'appela à ses côtés quand il prit en main la destinée du Ballet. Tout semblait lui sourire, et d'abord une vie familiale heureuse.

Autrefois, nous partagions. Nous partagions tournées, fous rires et ennuis. C'était la grande époque de la danse classique. Cours et stages étaient suivis avec passion par nombre de fillettes et de jeunes filles ou jeunes femmes qui n'avaient pas en tête l'idée d'en faire carrière, mais d'approcher leur rêve et d'affiner leurs formes. Claire et moi sommes souvent sollicitées pour participer à ces manifestations que notre titre d'Étoile de l'Opéra rehausse, et nous acceptons sous condition d'y aller ensemble. Je donne ainsi un cours au porte-voix pour trois cents élèves rassemblées dans un gymnase ! Mais, même si dans ces conditions de manœuvres militaires elles n'ont pas vraiment profité de mon enseignement, ces amateurs passionnés ont formé le noyau du public d'hier.

Puis la maladie a emporté Claire à l'âge de quarante-neuf ans, nous laissant à tous un amer goût d'injustice. La mort a tranché les liens.

J'ai vieilli sans elle et, si mon tempérament s'est un peu adouci, je reste violente, prompte à taper sur la table et à élever la voix. Si Claire avait été là pendant toutes ces années de travail et de doute à l'École, les choses ne se seraient pas passées ainsi. Ma vie aurait pris un autre tour, elle m'aurait montré le chemin.

Si je pouvais refaire le monde… Navrée de la douleur de son mari et de ses fils, je pense à moi. Elle me manque, son affection, sa joie de vivre, sa façon de faire régner l'harmonie. Elle aurait été à l'École à mes côtés. Quand Serge est revenu dans ma vie, hélas brièvement, j'ai traversé une

Claude Bessy, à neuf ans, s'apprête à entrer à l'École de Danse. (*Coll. Bessy*)

Claude Bessy à treize ans. Dans quelques mois, elle sera engagée dans le Ballet. (© *Iris*)

Claude Bessy et Josette Clavier viennent d'être nommées grands sujets. Elles sont ici en compagnie de Jean-Bernard Lemoine. (© *Robert Doisneau*)

En 1952 au palais Garnier, Claude Bessy et Lucien Duthoit dans les somptueux costumes créés pour *Les Indes galantes*. (© *Max Erlanger de Rosen*)

Daphnis et Chloé à l'Opéra de Paris en 1969. (© *Photo Pic*)

1960. *Le Lac des cygnes* remonté par Vladimir Bourmeister
entre au répertoire de l'Opéra. (© *Sam Lévin*)

Juillet 1947. Les danseurs de l'Opéra entourent Serge Lifar.
Derrière le maître, Claude Bessy. (© *Lipnitzki*)

1er octobre 1952. Nommées premières danseuses, Claude Bessy et Josette Clavier entourent
les étoiles Nina Vyroubova (en haut) et Madeleine Lafon tout juste promue. (© *France-Soir*)

À l'Opéra-Comique en
avril 1958 dans *Le Bel
Indifférent* de Jean Cocteau.
(© *Lipnitzki/Roger-Viollet*)

Dans un des costumes
« haute couture »
du peintre René Gruau
pour *La Belle de Paris*,
opéra-ballet bouffe
de Georges Van Parys
créé en 1961
à l'Opéra-Comique.
(© *Sam Lévin*)

Dans *Pas de dieux*, un ballet de Gene Kelly sur une musique de George Gershwin créé à l'Opéra en 1960. (*© Sam Lévin*)

En 1959 à Los Angeles, sur un plateau de télévision avec Gene Kelly. (*Coll. Bessy*)

Serge Golovine est le prince Albrecht dans *Giselle.* (© *Serge Lido*)

Unis à la scène comme à la ville, Claude Bessy et Serge Golovine dans
une représentation du *Bal des cadets* par l'École de Danse en 1998. (*Coll. Bessy*)

En tournée à New York en 1988, Claude Bessy donne le cours de pointes. (© *Nan Melville*)

En répétition pour le spectacle de l'École de Danse.

(© *Francette Levieux*)

période de calme. La mort… Je sais que les événements auraient pris un autre cours si ces relations affectives avaient vécu. Pendant trente ans j'ai porté cette École, que j'ai voulue, à bout de bras. Je l'ai imaginée, je l'ai construite, je l'ai fait vivre, évitant jalousies et chausse-trappes, seule, jusqu'au jour où…, mais le récit de ce dernier orage fera l'objet d'un autre chapitre.

Chorégraphe

Je suis devenue chorégraphe par hasard et par nécessité. En 1960, Michel Rayne a été nommé maître de ballet de l'Opéra-Comique. Cette troupe, forte de trente-cinq danseurs, n'avait qu'un faible répertoire et des crédits plus faibles encore.

La Compagnie se sentait fragilisée et les bruits de couloir se faisaient l'écho, chaque année, des menaces de dissolution. Il fallait restaurer la confiance à l'intérieur et donner des preuves à l'extérieur. Michel fit appel, avec succès, aux bonnes volontés et notamment à celles des Étoiles de l'Opéra, qui acceptèrent de venir danser sur la scène de la salle Favart sans toucher un sou. Le nombre de spectacles chorégraphiques étant alors limité au palais Garnier, cette collaboration, en accord avec le directeur de l'Opéra, nous permettait de danser davantage à Paris.

J'ai conseillé à Michel de faire appel à certains des chorégraphes américains avec lesquels j'avais eu l'occasion de travailler à l'American Ballet Theatre, comme William Dollar ou David Lichine, et il m'a donné l'occasion de monter des ballets avec sa Compagnie.

Michel avait fait ses débuts aux Ballets de Monte-Carlo, puis à l'Opéra de Nice. Il fut engagé comme Étoile à l'Opéra-Comique par Georges Hirsch, alors que Gérard Mulys était maître de ballet. Lorsque Mulys passa à l'Opéra, Michel le remplaça dans ses fonctions jusqu'au jour de la fusion entre les deux troupes. Nous nous retrouvâmes alors tous au palais Garnier.

Mon coup d'essai a été, pour un gala à Paris et pour une tournée, *La Femme à travers les âges*, succession de trois pas de deux sur une musique de Robert Bergman : Claire Motte et Michel Rayne pour la préhistoire, Christiane Vlassi et Lucien Duthoit pour le règne de Louis XV, Attilio Labis et moi pour les temps modernes.

Pour la seconde chorégraphie, *Studio 60*, on fit appel à moi en catastrophe. Don Lurio, chorégraphe rencontré au Studio Wacker, grand lieu de rassemblement des gens de la danse dans les années 50 et 60, devait faire une création d'une vingtaine de minutes pour les fêtes d'anniversaire du prince Rainier de Monaco. J'avais un sujet : une ballerine classique, par hasard, se trouve faire une barre dans un studio occupé au même moment par une compagnie de jazz. Don voulait élaborer un ballet à partir de cette rencontre.

Un mois avant la première, Don décida de repartir aux États-Unis, j'ai pris sa place. Le schéma de travail mis au point à cette occasion me sert toujours, amélioré bien sûr au fil des ans. Tout commence avec le compositeur et avec la partition qu'il propose. Le découpage musical est fait en séquences et en comptes. Je travaille les pas sur mon propre corps, écrivant au fur et à mesure les repères. Les séquences de 4 à 5 minutes étant ainsi bien installées, je les règle dans l'ordre de la partition, très vite, préférant avancer puis revenir sur la chorégraphie et éventuellement la modifier. Je me base sur le thème et la mélodie plutôt que sur l'écriture musicale et l'instrumentation. J'y trouve un grand plaisir car j'aime travailler avec les autres. À chaque fois, me reviennent en mémoire les querelles entre Lifar et Delannoy comptant et recomptant les mesures sans jamais tomber d'accord !

En 1963, j'ai chorégraphié *Play-Bach*, prenant comme appui les pas du vocabulaire classique, en commençant par les dégagés. À l'époque, je ne pouvais pas disposer d'un studio de répétition, aussi je reglai ce ballet dans ma loge.

L'arrangement musical était dû à Jacques Loussier. Tout jeune, Jacques avait été pianiste au Studio Wacker pour le cours de Madeleine Lafon. Appelé sous les drapeaux, il faisait son service militaire en Algérie, lorsqu'il fut réquisitionné en catastrophe par le Ballet de l'Opéra-Comique, en tournée à Alger, qui dansait *Rhapsody in blue* et s'était retrouvé sans pianiste. Jacques se trouva ainsi au cœur d'un réseau professionnel et amical dont je faisais partie. Une longue et grande amitié me lie toujours au couple Loussier, Jacques et Elisabeth.

Cet été-là, notre Groupe des Six, composé alors de Cyril Atanassoff, Juan Giuliano, Attilio Labis, Claire Motte et Christiane Vlassi, a été invité aux États-Unis, au Jacob's Pillow Dance Festival. Fondé en 1941 par Ted Shawn, pionnier de la danse moderne américaine, partenaire de Ruth Saint-Denis, ce festival très prestigieux, accueillait des danseurs de tous horizons. À côté de chorégraphies d'Attilio, de Peter Van Dijk et de Skibine, j'y présentais *Combat*, un pas de deux sur une musique de Raffaelo de Banfield, que je dansais avec Attilio et *Flash Ballet*, une parodie du *Lac des cygnes*, de *Coppélia* et d'une polka sur une musique de Chostakovitch pour tout le groupe.

Trois ans plus tard, je chorégraphiai *Les Fourmis*, sur une musique de Pierre Sancan, un ami de Michel Rayne. Pierre donnait pour vivre des leçons de piano à Pleyel, il me joua la partition au cours de dîners et de soirées très gaies, et le travail en sa compagnie fut passionnant. Je lisais alors un livre sur la « marabunta », d'où le sujet du ballet : une colonie de fourmis se met en marche et trouve sur son chemin un bagnard en cavale. À l'époque, nous travaillions pour rien, démarrant un projet sans savoir où, quand, comment il serait présenté. Pas de contrat, pas de problème. La création était légère, j'en veux comme meilleur exemple les débuts de chorégraphe de Roland Petit, montant *Les Forains* avec presque rien.

Pour la troupe de l'Opéra de Bordeaux je remontai *Les Fourmis*. L'expérience étant réussie, le directeur du Théâtre, Roger Lalande, m'a proposé de prendre la direction de son Ballet. J'ai dit non, il a insisté, j'ai dit oui, et puis il est parti et je n'ai plus entendu parler de rien.

En 1971 enfin, ce fut *Psychose*, pas de deux sur le Mandala, actualité oblige, sur une musique de Lutoslawski, dans une scénographie du plasticien Joël Stein, qui m'avait été présenté par Michel Descombey avec qui il avait déjà travaillé pour *Visage* et *Sequenza*. Ce ballet, fait pour Jean Guizerix, devait tout à l'air du temps et à mes lectures, dans sa forme comme dans son sujet. La sauce n'a pas pris et la chorégraphie a vécu seulement pendant quelques représentations, mais le thème – les ravages de la drogue – est toujours d'actualité.

Quand la Compagnie de l'Opéra-Comique fusionna avec celle de l'Opéra, je cessai de chorégraphier et n'y pensai plus.

Mon intérêt pour cet exercice réapparut avec l'École, aiguisé par le besoin, puisque pour le premier spectacle, en 1977 à la salle Favart, nous n'avions pas de répertoire. Je montai *Concerto en ré* par nécessité, pour mettre en scène tous les enfants, et quatre ans plus tard *Mouvement*, dans la même optique.

Nous avons remonté ensuite des ballets pour les élèves, toujours avec la chorégraphie d'origine, sans l'adapter, sans rien changer, mais en choisissant des œuvres qu'il pouvaient interpréter. Il y a toujours au programme un ballet d'histoire qui leur donne des situations à jouer. Combien de jeunes avons-nous ainsi découverts avec *La Fille mal gardée* ou avec *Les Deux Pigeons*!

J'ai, par ailleurs, demandé aux grands interprètes des ballets d'hier de les remonter pour l'École, construisant ainsi un répertoire qui porte témoignage de l'histoire de l'Opéra. Michel Renault est venu faire répéter *Entre deux rondes*, et avec Liane Daydé *Le Chevalier et la Damoiselle*, Christiane Vaussard a repris *Les Deux Pigeons*, *Jeux d'enfants* et *Soir de fête*, mais l'École compte tout aussi bien à son répertoire *Western Symphony* de George Balanchine, remonté par Violette Verdy, des ballets de Maurice Béjart, John Neumeier, Jiři Kylián, Roland Petit...

L'évolution a été rapide, au début les élèves de première division n'étaient capables de danser que la variation de Phryné du ballet de *Faust*.

Nous les avons maintenant «aguerris». Lors des démonstrations du mois de décembre, ils s'éprouvent, prennent l'amour de la scène, comprennent pourquoi ils sont là, les professeurs et moi constatons une très nette évolution, physique et psychologique. Le spectacle leur fait faire un bond en avant. Ils m'étonnent. Responsables d'eux-mêmes, il se découvrent face au public. Nous choisissons des jeunes qui ont déjà figuré sur le plateau, aux côtés du corps de ballet, dans *La Bayadère*, dans *Casse-Noisette*, dans *Paquita*...

Décors, costumes, lumières leur donnent la connaissance du spectacle. Certains y habitent enfin leur corps. Ainsi Stéphane Bullion, bottes de cow-boy aux pieds, pantalon et chemise enfilés et serrés dans la ceinture, chapeau sur la tête, a explosé dans *Western Symphony*, ce qui lui était impossible lorsqu'il était revêtu du collant et du maillot de répétition.

Je leur parle beaucoup pendant les répétitions : «Quand vous serez dans le Ballet, on n'aura pas le temps de s'occuper ainsi de chacun et chacune d'entre vous, regardez bien, apprenez vite... ; attention à la pente de la scène, elle est plus forte qu'à l'École, l'aplomb est différent ; gare aux costumes, leur volume change la force à donner, le tutu freine... »

Le résultat est fabuleux, chaque année ils me surprennent et me ravissent sans que le temps et l'habitude viennent émousser mon regard et mon émotion.

Fallait-il développer à l'École un enseignement de chorégraphie ? Je reste sceptique sur son intérêt à ce niveau de la formation du danseur. La créativité ne s'apprend pas, elle est innée. Les recettes peuvent-elles se transmettre ? C'était autrefois une des facettes de l'art du maître de ballet, régler plus que chorégraphier.

Dans ce domaine, les danseurs classiques ont moins de possibilités de commande de création, moins de chance que les danseurs contemporains. Je trouve, à ce propos, très heureuse l'initiative de Brigitte Lefèvre envers Kader Belarbi pour *Wuthering Heights*, donner ainsi à un danseur Étoile l'occasion de se confronter avec la Compagnie est courageux.

Pour l'École, j'ai demandé une chorégraphie à Jean-Guillaume Bart, lui proposant des musiques de Rossini. Il a une extraordinaire conscience de son corps, une pureté de mouvement et un don certain pour l'adage. Régler son ballet m'a semblé le rendre heureux, plein d'autorité, très écouté, imposant une grande rigueur à ses jeunes interprètes.

La création ne serait rien sans les reprises, *Péchés de jeunesse* est entré au répertoire de l'École de Danse et a déjà été donné par plusieurs distributions différentes. Ces représentations sont nécessaires pour tout le monde : le chorégraphe qui peut ainsi revoir et modifier son travail, les danseurs qui s'approprient leurs rôles, le public qui se constitue une « bibliothèque » de ballets.

Il faut préparer l'avenir. Quel chorégraphe français travaillera sur le vocabulaire classique, en l'adaptant naturellement à son temps, comme l'ont fait, comme le font Maurice Béjart et Roland Petit ? Qui aura leur maîtrise de la narration ? La réponse est entre les mains des « jeunes chorégraphes » qui présentent chaque année leur travail à l'amphithéâtre de l'Opéra Bastille, puis peut-être sur la scène du palais Garnier.

M[aurice] *pour B*[essy]

J'ai rencontré Maurice Béjart au Studio Wacker à la fin des années 40. Je l'avais remarqué alors qu'il passait rue de La Rochefoucauld, pour se rendre en compagnie de Michèle Seigneuret au cours de Mme Egorova. Leur ressemblance était forte et je les croyais frère et sœur. On ne pouvait échapper à la fascination de regard de Maurice. Ses yeux verts me fascinent d'ailleurs toujours autant, quelque cinquante ans plus tard.

Tout jeune, il travaillait chez Mme Egorova, chez Mme Rosanne, chez Solange Schwarz, que nous appelions affectueusement « Tantante ». C'était un excellent partenaire que l'on s'arrachait.

En 1961, il chorégraphie au Théâtre de la Monnaie à Bruxelles *Le Boléro*, sur la musique de Ravel, avec Duska Sifnios. C'est un triomphe, pour lui comme pour son interprète qui, impressionnante de sensualité, danse pieds nus et sa courte crinière bouclée ruisselante, debout sur une table cernée de garçons. Peut-être est-ce, comme beaucoup de ballets de Béjart, une parfaite adéquation avec les mœurs d'une époque qui se libère des interdits de l'immédiat après-guerre et plongera bientôt dans le déferlement de mai 68.

Par curiosité, et plus, je vais voir tous les spectacles de Maurice, mais celui-là… À la fin de la représentation, je le rencontre dans les coulisses et lui demande de me confier le rôle, si par bonheur un jour il remonte *Boléro* à l'Opéra. Il me le promet et tiendra parole. C'est la première et la dernière fois que je tente pareille démarche auprès de qui que ce soit.

En attendant, je patiente, ce qui n'est pas mon fort, et je patienterai longtemps. J'attends, en 1964, quand il monte son premier spectacle au palais Garnier, *La Damnation de Faust*, et ne me choisit pas. Christiane Vlassi et Cyril Atanassoff créeront cette puissante chorégraphie sur la partition de Berlioz. J'ai hurlé mon enthousiasme, debout dans la salle, et applaudi frénétiquement Cyril qui créait un personnage d'une humanité si profonde. Je suis sortie de la représentation enrichie. Christiane et lui y gagnèrent tous deux leurs galons d'Étoile.

J'attends encore quand, l'année suivante, il taille *Renard* sur Claire Motte, *Noces* sur Nanon Thibon et Jean-Pierre Bonnefous, et *Le Sacre du printemps* sur Jacqueline Rayet et Cyril. Et j'attends toujours quand, en 1967, il donne *Webern Opus V* à Jacqueline et Jean-Pierre.

Enfin, promesse tenue, le 3 octobre 1970, la main droite cachant le regard, j'affronte l'épuisante variation de *Boléro* et ses célèbres comptes.

Les répétitions, dirigées par Ljuba Dobriévitch, m'ont beaucoup fait souffrir. Elle était très dure, ne laissait rien passer et me donnait parfois, selon les jours, des indications qui me paraissaient contraires. Nous sommes restées une semaine sur les quatre premiers mouvements, disséquant tout : l'œil, le regard, le mouvement. Ce long solo déroule et amplifie une seule tension. Musicalement, le thème est répété, ce qui sollicite grandement la mémoire. Les entrées d'instruments sont les seuls repères pour les changements de pas, l'amplification du mouvement est en phase avec la puissance orchestrale. La fatigue, l'exaltation, la jouissance mènent au paroxysme, à la transe musicale et physique, technique et expressive.

Quand, à la toute fin, la danseuse s'écroule, elle est ailleurs, ne se rendant même pas compte des applaudissements de la salle. C'est grisant, mais quel parcours avant d'en arriver là ! Il est impossible de tricher dans ce solo, tout comme dans la variation de l'Élue du *Sacre du printemps*, toutes les variations de l'Élue devrais-je dire, qu'il s'agisse de la chorégraphie de Nijinski, de Béjart ou de Pina Bausch.

Pourquoi Maurice ne m'a-t-il pas choisie plus tôt ? Je n'ai jamais osé le lui demander. Peut-être parce que j'étais marquée au feu par Serge Lifar, peut-être parce que le statut d'Étoile m'isolait dans un cercle infranchissable ?

Peu importe, aujourd'hui, au fil des années, nous avons noué une grande amitié que l'ombre noire du pouvoir a un temps contrariée.

En 1970, alors qu'il a été très sérieusement question que lui soient confiées les destinées de la Compagnie, j'ai fait savoir que je ne viendrai pour assurer l'intérim de maître de ballet, après le départ de John Taras, qu'à cette condition. Son entourage, par jalousie peut-être, nous a un temps fâchés. Maurice n'est pas venu et je suis partie, après avoir tenu le fort pendant quelques mois et, le palais Garnier étant en travaux, fait danser le Ballet au Théâtre des Champs-Élysées comme au Palais des Sports.

Cinq années durant, nous n'avons eu aucun contact. Puis il a commencé à m'envoyer des « signes » quant à mon travail à l'École, par articles de presse ou par messages interposés. Je le sais timide jusqu'à la maladie, muet jusqu'à l'étouffement, j'ai donc fait les premiers pas et nous nous sommes revus. Plus le temps passe, plus j'ai besoin de lui, de ses conseils, de cette harmonie artistique qui nous lie. J'admire son sens pédagogique qui lui fait découvrir, comme un sourcier, le meilleur d'un danseur dont il transforme les défauts techniques, les failles psychologiques en qualités et en atouts. Quand il se sert de ses interprètes, il les sert, grâce à son amour des danseurs et à la vision très particulière qu'il en a. Il dit d'ailleurs lui-même : « J'ai peut-être raté des ballets, je n'ai jamais raté un danseur. »

Après la mort de Serge Golovine, notre amitié s'est encore renforcée, comme Hugues Gall, il a su être présent aux pires moments.

Maurice Béjart a donné deux chorégraphies à l'École, *M pour B* en 1991 et *Sept danses grecques* en 2000. Malgré, ou à cause de, son immense présence, il se met à la portée des enfants. Il règle très vite pour eux, sait ce qu'il veut, tout est carré et placé, ce qui rassure et conforte ses jeunes interprètes qui peuvent alors donner le maximum d'eux-mêmes. Son talent inné pour mettre les gens à l'aise rend le travail facile et les danseurs heureux. *M pour B*, un ballet de vingt-six minutes sur des musiques de Mozart et un tango argentin, a été réglé en trois jours, avec vingt-neuf élèves de quatorze à seize ans. Ce temps très bref suffit à la métamorphose. Soudain, sur scène, on leur découvrit d'autres physiques, puissants et énergiques, avec une grande ampleur dans le mouvement. Il leur avait donné l'impression de savoir. C'est ainsi qu'un chorégraphe peut transformer un danseur en un rien de temps. Les jeunes sont sortis du spectacle heureux d'avoir dansé, la tête haute, fiers d'eux-mêmes, fiers d'avoir donné satisfaction au chorégraphe.

J'ai ressenti cette même impression lorsque la Compagnie a dansé récemment les chorégraphies de *Clavigo* de Roland Petit et de *Casanova* d'Angelin Preljocaj. J'ai senti les danseurs investis, en fusion avec ces personnalités qui ont tant à dire, tous s'en trouvant enrichis, créateurs comme interprètes.

Miss Maud, c'est moi

Ce qui m'a le plus manqué lorsque j'ai quitté la scène, c'est d'être une autre. Dans cette magie de la transformation, emportée par la musique, les lumières du plateau, la demi-obscurité des coulisses, le costume, le maquillage m'ont beaucoup aidée. Douce, violente, amoureuse, traîtresse, heureuse, triste, ce n'est pas moi mais quelque chose en moi. Ce n'est pas le public qui me donne cette force du dédoublement mais la solitude avant le spectacle, le besoin de prendre contact avec la scène pour me détacher de ce et de ceux qui sont autour de moi, d'ancrer mon corps sur le sol, de le préparer à ce que je vais lui demander, d'habiter les espaces.

Je n'ai pas retrouvé ces sensations pour un seul rôle, celui de Miss Maud dans *Le Concours*. Car Miss Maud, c'est moi. En fait, dans *Le Concours* comme dans *Arepo*, Maurice voulait faire le portrait de son professeur de prédilection, Mme Rosanne. Cette petite femme brune et sèche était née à Bakou en 1894. Formée par Ivan Clustine et par Alexandre Volinine, elle commença à enseigner à Paris en 1928. Son cours au Studio Wacker était célèbre, comme le devint celui de sa nièce Nora Kiss. Elle préférait faire travailler les garçons, lorsqu'on en arrivait aux exercices au milieu, elle annonçait rituellement : « Placez-vous les hommes, les filles faites derrière pour ne pas gêner. » On trouvait chez elle tous ceux qui comptaient, peu ou prou, dans la danse masculine.

J'avais pris trois leçons dans ces conditions et je m'étais sauvée.

Quand Béjart a créé *Le Concours* avec sa Compagnie, au Châtelet en 1985, il distribua Christine Anthony, alors professeur et répétitrice au Ballet du XXe siècle, dans ce fameux rôle de Miss Maud.

Lorsqu'il le reprit pour l'Opéra en 1999, il m'a proposé le rôle. Pour des raisons personnelles comme professionnelles, j'avais l'impression d'avoir « bouclé la boucle ». Serge était mort depuis un an, je l'admettais tout juste. Mes premières élèves revenaient à l'École de Danse comme professeurs, après une brillante carrière : Carole Arbo, Fabienne Cerruti, Fanny Gaïda.

J'ai accepté le rôle en tremblant. Le premier jour des répétitions, j'arrive au palais Garnier, je pousse la porte du studio, j'articule péniblement « bonjour ! ». Un silence de mort m'accueille, j'entends les pensées des danseurs : « V'la la directrice ! » La directrice n'a pas survécu très longtemps, « Claude » est arrivée par ci, par là. Elle s'est trompée, on l'a corrigée. Delphine Moussin et Karl Paquette l'ont aidée à trouver ses marques. Nous avons toujours la même différence d'âge, mais nous avons aussi les mêmes réactions, celles d'instruments face au chorégraphe. Nous sommes des collègues. Lors de la première répétition avec Aurélie Dupont, dont je savais les mauvais souvenirs qu'elle avait de ses années à l'École de Danse, je lui dis avec force ma réplique : « Ah, non ! recommence ! » Elle est restée saisie. J'ai repris : « Ça vous rappelle quelque chose, hein ! » Aurélie a éclaté de rire, la glace était rompue.

Avec quel bonheur je me suis laissé programmer, diriger ! Quelle délectation de s'entendre dire : « Va là-bas, passe par ici, arrête-toi ! » Combien il est plus facile de faire plutôt que de donner à faire. Si tous ceux, et ils sont nombreux, qui envient, jalousent, critiquent les décisionnaires savaient…

Lors de ce spectacle, j'ai vécu une expérience unique.

Sur la soixantaine de danseurs que compte la distribution, pratiquement tous étaient sortis de l'École de Danse. Cela m'a fait prendre la mesure du travail accompli et m'a donné du courage.

Je vais me livrer ici à une déclaration d'amour. Le Ballet de l'Opéra est pour moi la plus belle compagnie au monde. Je me plais à le proclamer car je vois ce que j'ai semé. Quand j'assiste aux spectacles, je suis émerveillée. Habituellement je suis une bonne spectatrice et ils m'embarquent. Si ce n'est pas le cas, si je commence à analyser, à juger la technique, c'est mauvais signe. Je ne veux pas être intéressée, mais entrer dans le jeu, être transportée, ce qui m'arrive le plus souvent.

La danseuse en directrice

Nous sommes au début de la saison, en septembre 1972. Dans son bureau du palais Garnier, Gérard Mulys, administrateur de la Danse, a derrière lui un grand tableau garni de languettes de papiers de couleur, chacune d'entre elles porte le nom d'un danseur du Ballet. Il prend une languette verte sur laquelle figure mon nom, la déchire et me dit « Pour vous, Bessy, c'est fini ! » Le geste et les paroles m'ont glacée et ont fait de mon départ du Ballet de l'Opéra, inévitable je le savais, programmé je le savais, un moment atroce. Dans la corbeille à papier, avec ces deux petits morceaux de carton, repose mon passé.

Cet adjudant, qui régnait sur la Compagnie à coups de sanctions disciplinaires, a la jouissance du mépris.

Les derniers mois de ma carrière d'Étoile furent très tristes. La seule création qui m'ait été proposée fut *Cantadagio* de Joseph Lazzini, que j'ai dansé avec Georges Piletta en novembre 1972.

Le quarantième anniversaire est une date fatidique dans le Ballet de l'Opéra, à cette époque ; les danseuses prennent leur retraite à cet âge, les danseurs attendant quarante-cinq ans. Le règlement a changé tout récemment et, lutte contre le sexisme oblige, l'âge de la retraite est fixé à quarante-deux ans pour tout le monde.

Je suis tellement déboussolée que je me réfugie chez Jacques et Sylvie Loussier, des amis de longue date. Sylvie a lancé une marque de layette, Le Petit Faune, et ouvert une boutique à Saint-Germain-des-Prés avec beaucoup de succès. Nous décidons que je représenterai sa marque aux États-Unis. Faut-il que j'aie, à ce moment, perdu tout repère pour envisager une semblable aventure, si éloignée de ce que fut ma vie !

C'est alors que Raymond Franchetti me propose de succéder à la tête de l'École de Danse à Geneviève Guillot, démissionnaire pour raison de santé.

Je vais voir Geneviève et visite les classes. Rien n'a changé, je me trouve ramenée à mes années d'enfance. Il me semble que tout est à faire, c'est une bonne raison pour accepter.

Au cours des tournées qui m'amènent à Londres, Boston ou Chicago, je me mets au courant de ce qui se pratique à l'étranger.

Nommée par Rolf Liebermann, je prends mes fonctions le 1ᵉʳ janvier 1973. Mais il me faudra quatre années encore de hauts et de bas avant de me débarrasser de moi-même, avant que s'opère la mue qui transforme la danseuse en directrice, avant de m'investir enfin totalement dans l'École.

La fatigue et l'ennui, ce que je ne peux supporter, viendront à ma rescousse. Comme tous les danseurs de l'Opéra, j'avais toujours été entourée d'un cadre combinant les lieux et les êtres. Le palais Garnier, sa scène, son Foyer de la Danse, ses classes, ses couloirs sont le décor de ma vie, les directeurs, les maîtres de ballet, les chorégraphes, les camarades, les partenaires, le public et ses habitués sont les personnages du roman.

Maintenant à la retraite de l'Opéra, hors de cet environnement familier, je traîne ma valise dans des tournées qui ne me semblent plus avoir ni rime ni raison. Je finis même par préférer prendre un cours plutôt qu'assurer un spectacle sur des scènes plus ou moins bonnes, dans des programmations plus ou moins pertinentes. Ma tête et mon cœur sont ailleurs, de plus en plus souvent à l'École, bientôt seulement à l'École. Je résous en quatre ans l'équation « être et avoir été ».

Grâce à Rolf Liebermann, un grand patron qui résolvait tout avec élégance, je ferai mes adieux officiels sur la scène du palais Garnier en novembre 1975, avec une série de représentations de *Pas de dieux* et du pas de deux de *Daphnis et Chloé*. J'ai pris beaucoup de plaisir à ces spectacles que j'ai assurés consciencieusement et dont j'ai vu la fin sans regret.

Comme je ne sais pas faire les choses à moitié, le transfert d'énergie s'opère, l'École devient mon idée fixe, mon ardente obligation.

Ce retour sur moi-même s'accompagne d'un retour vers mon enfance. Il est douloureux, mais nécessaire pour approfondir à partir de sa propre histoire ce que l'on va demander aux autres. Les souvenirs remontent, parfois facilement, parfois après un long travail. Cette gymnastique mentale est indispensable pour se mettre en état d'enfance.

Parmi les écoles de danse étrangères qu'il m'a été donné d'étudier, j'ai longuement fréquenté celle de Montréal, fondée et dirigée par Ludmila Chiriaeff. L'itinéraire de cette femme extraordinaire, disparue voici quelques années, est exemplaire. Dans les années 50, elle fonde une compagnie de danse qui porte son nom, puis devient la troupe nationale des « Grands Ballets Canadiens ». L'année suivante, en 1958, elle ouvre sa propre École qui, à son tour, devient un organisme officiel en 1980, l'École supérieure de danse du Québec. L'École et les Grands Ballets seront bientôt réunis au sein de la Maison de la Danse. C'est un danseur français,

Didier Chirpaz, formé par Raymond Franchetti, qui lui succédera.

J'ai longtemps siégé au conseil d'administration de cette institution. Le travail de Ludmila était compliqué par les mesures absurdes que l'équivalent canadien de notre Éducation nationale lui imposait. Les niveaux d'éducation artistique et scolaire devaient être étroitement liés, en référence absolue avec l'âge des élèves. Il lui était donc impossible de faire avancer des sujets plus jeunes et plus doués, qui piétinaient ainsi en attendant l'âge ou le niveau scolaire requis.

Ludmila Chiriaeff faisait un important et patient travail de promotion de son École et de recherche de jeunes talents à travers tout le pays, donnant des conférences, organisant des spectacles, levant des fonds. Ce type d'action est courant aux États-Unis et dans les pays anglo-saxons. Les mieux organisés dans ce domaine sont les Britanniques, qui ont quadrillé la planète entière et ouvert des écoles de danse dans les endroits les plus reculés, assurant ainsi pendant un temps le règne absolu du ballet anglais, aujourd'hui au creux de la vague mais revivifié par d'excellents danseurs venus d'Australie.

Dans le domaine institutionnel, la France avait cent ans de retard, que nous avons comblés avec la réorganisation de l'École et la construction du bâtiment de Nanterre.

L'homme providence pour l'École, à ce moment de son histoire, est Rolf Liebermann, et le détonateur s'appelle Carolyn Carlson.

Poussée par la curiosité, j'entre dans la salle du palais Garnier plongée dans le noir, Carolyn qui vient d'être nommée Étoile-Chorégraphe répète sur le plateau. Son corps ondule lentement, elle est unique. Tout se met à tourner dans ma tête, ma récente nomination, l'état d'insuffisance de l'École, de ses locaux, de son enseignement, la confiance que les enfants semblent m'accorder, la faiblesse des budgets au regard de leurs besoins. Je commence à pleurer. Rolf

Liebermann, assis à quelques fauteuils de distance, s'en aperçoit et me demande, sidéré : « Mais qu'avez-vous ? » Incapable de lui répondre, je me rue hors de la salle ruminant une prochaine démission. Quelques dizaines de minutes plus tard, il me réclame dans son bureau et je trouve le calme requis pour lui expliquer mes doutes, mes besoins pour l'École, le sens que je donne à mon action, l'implication des professeurs, l'exigence du travail demandé aux élèves, ma vie défile… Je l'ai passée dans la contrainte des règles d'un art sans concession. La formation des danseurs classiques exige une rigueur absolue, un travail patient et dur sanctionné chaque année par des concours. Est-ce encore utile ? L'art, tout de liberté, de cette Étoile m'a soudain amenée à me questionner sur la finalité de l'École. Liebermann m'écoute sans m'interrompre et me répond : « Je vais vous donner les moyens nécessaires à votre ambition ! » Il me demande un rapport chiffré, en deux ans j'obtiens de lui tout ce dont j'ai besoin pour faire démarrer cette nouvelle École. Grâce à lui, à son écoute, à son action, l'École a pu commencer à évoluer, tout ce qui suit vient de là, découle de cette magnifique rencontre

Ma première tâche a été d'obtenir de l'Éducation nationale le régime de la scolarité à mi-temps pour remplacer celui des horaires aménagés.

Obtenu en 1976, ce nouvel emploi du temps : enseignement artistique le matin, matières scolaires l'après-midi, simplifiait la vie des enfants et clarifiait le régime des études. Les enfants allaient à l'École de la rue de Suresnes jusqu'au brevet, puis au lycée Racine jusqu'au baccalauréat. Ces classes étaient réservées aux élèves de l'École de Danse et du Conservatoire.

En conséquence, Rolf Liebermann et Hugues Gall, qui était alors l'adjoint de l'administrateur général pour, entre autres, tout ce qui concernait la danse, m'accordèrent les crédits nécessaires à l'engagement de sept professeurs supplémentaires et des pianistes correspondants.

À l'enseignement de la danse classique, assuré par neuf professeurs : Christiane Vaussard, Jacqueline Moreau, Huguette Devanel, Jeanne Geraudez, Liliane Garry pour les filles, Michel Renault, Gilbert Mayer, Lucien Duthoit, Daniel Franck pour les garçons, vinrent s'ajouter des cours de danse ancienne avec Francine Lancelot, de danse de caractère avec Irina Grjebina, de danse moderne avec Joseph Russillo, de mime avec Yasmine Piletta, d'adage avec Max Bozzoni, de variation avec Jacqueline Moreau pour les filles et Serge Peretti pour les garçons, de répertoire avec Lucien Duthoit. Enfin, Jean-Marie Villégier donnait une série de conférences sur l'histoire de l'opéra et du ballet. Les choses commençaient à bouger.

L'École de Danse aujourd'hui

Le palais Garnier ne présentait pas les espaces nécessaires pour loger l'École. Nous disposions en tout et pour tout de trois pièces sans aménagement et sans confort. Les cours de danse avaient lieu le matin au palais Garnier entre 8 heures et 11 h 30, la scolarité l'après-midi à l'École de la rue de Suresnes ; les élèves revenaient en fin d'après-midi à l'Opéra pour les répétitions et les spectacles, s'il y avait lieu. La majorité d'entre eux prenait des cours supplémentaires après l'école, vers 17 heures, dans les nombreux studios du quartier. Allées et venues constantes, absence d'espaces de travail, de repos et de jeux, absence de contrôles diététiques et d'hygiène de vie étaient le lot des enfants.

J'avais imaginé les premiers foyers en 1976, en considérant les demandes de plus en plus nombreuses de familles habitant en province et en grande banlieue. Au hasard de mes promenades, j'avais trouvé un grand appartement rue Jules-Lefebvre, dans le IXe arrondissement, que l'Opéra a loué. Nous n'avions pas de budget pour l'aménager et le Cercle Carpeaux, qui réunit des mécènes de l'Opéra, nous a fait cadeau de lits superposés. Un contact extraordinaire s'est produit avec les personnels des services techniques du palais Garnier travaillant aux ateliers Berthier, qui ont récupéré des meubles dans les réserves de décors et d'accessoires, comme les chaises et les fauteuils d'une vieille production de *Tosca*, ou ont ramassé dans la rue des mobiliers mis au rebut et les ont retapés. Après s'être mués en chiffonniers, ils se sont faits peintres. Le Foyer a vite été complet avec vingt-deux pensionnaires, et il a fallu louer un second appartement dans une autre aile du même immeuble pour dix-huit enfants supplémentaires. Deux gouvernantes, qui assuraient la bonne marche de l'internat, descendaient avec les enfants la rue de Clichy jusqu'au palais Garnier, où Liliane Oudart et Francesca Zumbo leur donnaient les cours de danse du soir, afin que les pensionnaires aient les mêmes chances que les enfants vivant dans leurs familles, qui pouvaient profiter de leçons supplémentaires ou de cours particuliers après la sortie de l'école.

Dès 1977, j'ai monté des projets, toujours contrariés. Avec obstination, j'ai recommencé. Faute de franchir les barricades et les redoutes qui défendent le bureau des ministres de la Culture, dont la succession fut fort rapide pendant toutes ces années, j'ai abandonné la voie hiérarchique et décidé d'intéresser à ma cause les épouses des hommes politiques. Je les ai invitées à venir visiter l'École de Danse. Amusées, curieuses, bientôt passionnées, elles ont découvert les conditions de vie dans les combles du palais Garnier et, en bonnes mères de famille, en sont parties horrifiées.

Grâce à des interventions diverses, l'affaire avançait.

Dans ce parcours du combattant, Isabelle du Saillant, conseiller du ministre et sœur du président Giscard d'Estaing, m'a beaucoup aidée, suivant avec constance et efficacité le cheminement du projet au ministère.

Maurice Eisner, dit Igor, a été un de mes plus grands soutiens. Je l'avais connu alors qu'il était journaliste, critique chorégraphique au *Spectacle du Monde*. Lors d'une interview j'avais été séduite par son charme, sa grande culture, son humour. C'est si rare de rencontrer quelqu'un de cultivé dans notre domaine qui n'est pas, et de loin, le mieux loti des arts du spectacle en la matière.

Igor était tout particulièrement passionné par l'aventure des Ballets Russes de Diaghilev et il m'interrogeait sans relâche sur Lifar. Nous avons pris l'habitude d'aller au théâtre ensemble et nos relations amicales se sont renforcées au cours du temps. Puis Michel Guy est devenu ministre de la Culture et, en 1974, il a nommé Igor Inspecteur général de la danse. Dès lors, Igor a été investi de fonctions officielles, son emploi du temps s'en est trouvé alourdi, il a pris des positions avec lesquelles je n'étais pas toujours d'accord. Nous nous sommes moins vus, mais notre amitié n'en a pas été altérée.

Je lui ai parlé de mon projet d'École, des nouveaux moyens que Rolf Liebermann mettait à ma disposition. Il a pris parti avec ferveur, est devenu un soutien important, m'a conseillée dans mes démarches, m'a donné des clés pour les portes du ministère qui toutes, comme celles de Barbe-Bleue, réservent des surprises.

Igor est mort en 1994, laissant dans le champ de la critique chorégraphique un fauteuil resté vide.

Nanterre a été un choix par défaut. Avec les responsables du ministère de la Culture, et notamment avec Igor, nous avions envisagé bien des possibilités : des terrains à la porte Champerret, mais l'affaire n'aboutit pas à cause d'une fâcherie entre l'État et la Ville de Paris, des terrains à Créteil, mais sans possibilité de transport, le Théâtre Mogador, et même une sur-construction sur le toit des Galeries Lafayette !

Le terrain de Nanterre appartenait au ministère de la Culture et présentait une grande facilité d'accès, le RER venait d'entrer en fonction et mettait la station Nanterre Préfecture à quelques minutes du palais Garnier, avec une bonne fréquence des rames. Ainsi fut choisi l'emplacement de Nanterre, grand terrain en friche dans un quartier vide.

Ironie du sort, j'avais foulé ce terrain pour la première fois en 1969. L'EPAD, ou «Établissement public pour l'aménagement de la défense», qui construisait alors les premières tours de ce quartier, y avait organisé une grande fête et monté une scène sur laquelle nous devions danser *Play Bach*. Le terrain où s'élèvera plus tard l'École était nu, des collines vertes bordaient l'horizon. Sur ce décor buco-lique, il a plu pendant trois jours et nous avons dû inter-rompre répétitions et spectacle, chassés par le ciel. Était-ce prémonitoire ?

La désignation de l'architecte fut mise au concours, remporté par Christian de Porzamparc. Pendant un an nous avons travaillé ensemble sur le projet. Je savais vouloir de grandes salles claires et conviviales, mais aussi des «rabi-coins», des passages mystérieux qui rappelleraient, comme le fait l'escalier central, le palais Garnier et ses fantômes.

Le projet de Porzamparc était clair, logique, parfaite-ment fonctionnel et beau.

Tous nos soins sont allés à l'architecture, qui me semble pleinement réussie, mais la construction a été trop rapide, avec trop de sous-traitants. Certains espaces à peine termi-nés ont dû être refaits, spécialement dans le bâtiment d'hé-bergement.

Les studios de danse en revanche, très beaux et très bien conçus, sont aussi bien réalisés. J'ai beaucoup travaillé sur ce sujet en prenant les conseils de Raymond Franchetti, expert en la matière. Un premier plancher a été mis en place et essayé par les danseurs pendant trois jours. L'essai étant concluant, tous les studios ont été équipés de la même façon.

Il ne s'agit pas là d'un effet de détail ou d'une mania-querie. Le plancher a une importance majeure pour la santé et l'art du danseur ; trop dur ou trop souple, il abîme muscles et tendons et fait souffrir.

Passé le périphérique, on entre dans un autre espace urbain, même si Paris est à quelques mètres.

Ce bien relatif éloignement géographique a-t-il été une

erreur ? Il a, sans contestation possible, apporté aux élèves un confort et une facilité de vie évidents, ce qui est essentiel, aux professeurs de bonnes conditions de travail, ce qui est souhaitable. Mais il a favorisé la rumeur. Bien des professionnels, bien des journalistes ne sont jamais venus à Nanterre visiter l'École et ne savent pas ce qui s'y passe, mais ils parlent et écrivent sans connaître.

Pourtant, si c'était à refaire, près de vingt années plus tard je ne changerais rien à ce projet. Enfants et adultes s'y plaisent, aucun dysfonctionnement ne s'est fait jour. Il manque peut-être un ou deux studios, mais cette demande d'accroissement d'espace est sans fin.

Le 27 septembre 1985, Jack Lang, ministre de la Culture, posait la première pierre. L'École s'ouvrira aux cent vingt élèves prévus en janvier 1987, inaugurée par François Léotard devenu entre-temps ministre.

Pendant que le bâtiment s'élevait, le quartier changeait. De cette mutation sont venues nos seules difficultés. Le voisinage s'est beaucoup paupérisé et connaît les conditions de vie difficiles des banlieues. L'École est perçue comme un « ghetto de riches » et nous avons du mal à nous faire accepter dans cet environnement. Les agressions se sont multipliées, en réponse nous avons bouclé les grilles et les volets, installé des caméras et des dispositifs de sécurité. Ainsi, hélas, va la vie ! Les enfants ne sortent plus de l'École seuls, même pour aller jusqu'à la toute proche gare du RER. Malgré notre vigilance, chaque année un ou deux d'entre eux ou de leurs professeurs se font agresser. Quant aux vols de sacs, de téléphones portables, de blousons, ils ne se comptent plus.

Nous avons tenté de multiplier les relations avec la Mairie de Nanterre, mais elles se résument à des questions de copropriété, de voirie, de voisinage. Nous avons donné quelques spectacles dans la très belle salle Maison de Nanterre, et quelques démonstrations pour les cheveux blancs, et voilà tout.

Si c'était à refaire… Je crois que je supprimerais l'internat qui est une cause de soucis permanents. Non à cause des élèves, je m'empresse de l'écrire, mais à cause des adultes.

Certains parents tendent à se décharger sur l'École de leurs enfants et ne prennent pas le soin de s'occuper d'eux en fin de semaine, du vendredi après-midi au dimanche soir ou au lundi matin. Au mépris des horaires, ils viennent les chercher quand il leur plaît et les ramènent à leur guise. Les correspondants, chargés par les familles habitant trop loin d'accueillir les enfants pendant ces mêmes week-ends, se sentent encore moins responsables.

Les sujets d'étonnement sont multiples : « Il n'y a pas d'internat le week-end ? » « Mais, qui va accompagner mon fils, ma fille, à la gare, à l'aéroport ? » « Si je veux aller au cinéma dimanche après-midi, puis-je le déposer plus tôt ? » Ajoutons que l'enfant est souvent un moyen de valorisation dans sa famille, – Ah ! l'Opéra ! – mais reste une gêne ! Mes propos sont à modérer, ce n'est bien sûr pas la majorité des cas, mais la proportion est non négligeable. Peu de gens s'interrogent sur ce que coûte à la collectivité la formation d'un danseur dans les conditions offertes par l'École, beaucoup en attendent plus que tout ! Cette situation s'aggrave d'année en année, les demandes d'assistanat affluent maintenant dès le stage préliminaire à l'examen d'entrée et dans tous les domaines.

Les demandes de bourses, accordées selon certains critères bien précis, deviennent systématiques, au cas où notre vigilance se trouverait prise en défaut, les demandeurs avouant candidement : « On a essayé, au cas où… »

Quant aux adultes chargés de la bonne marche de l'internat, les conflits de personnes, l'inextricable réseau du code du travail régissant les contrats à durée déterminée, le nombre croissant de personnes à employer avec les régimes du travail de jour et de nuit (eh oui, il faut des surveillants de nuit !) rendent l'affaire ingérable.

Aux débuts de l'internat, deux gouvernantes seulement assuraient la bonne marche quotidienne, tout allait bien. Dès l'ouverture de Nanterre, la situation s'est gâtée avec des querelles de personnes.

Pour les surveillants de jour, engagés en CDI (contrat à durée indéterminée), présents de 12 heures à 19 heures, la situation est plus simple. Il n'en est pas de même pour les quatre surveillants de nuit, présents, eux, de 19 heures à 8 heures du matin.

Ajoutons que le code du travail, appliqué à ces métiers qui ne sont pas concernés par la convention collective de l'Opéra, peut être poussé jusqu'à l'absurde : la pause est obligatoire au bout de six heures de travail, faut-il donc réveiller ces surveillants à 1 heure du matin ? Quand doit-on donner aux délégués leurs heures de délégation, le jour ? Mais ils ne sont pas présents, alors la nuit ?

Le système tourne vite au cauchemar kafkaïen.

Pour achever mon lecteur, ajoutons qu'il faut une équipe spéciale de surveillants la nuit du dimanche au lundi ! Je passerai généreusement, et pour ne pas alourdir, sur les 35 heures, mais pensez-y !

Il faut, c'est l'évidence, que les surveillants agissent de façon professionnelle. L'École de Danse n'est pas une colonie de vacances et il est important que les élèves aient le temps de repos nécessaire à tout être humain, spécialement à des enfants en période de croissance, tout particulièrement à des enfants ayant un entraînement physique rigoureux. La sympathie, la compréhension sont de mise entre jeunes et surveillants, mais pas le copinage et le laxisme. Pour les surveillants de nuit le travail se résume à un simple accompagnement. Après l'extinction des feux, à 21 h 30 pour les classes des petits et des moyens, à 22 h 30 pour les classes des grands, les surveillants, comme les élèves, se couchent et dorment. Il est fort rare qu'un enfant les réveille pour un problème quelconque.

Ces surveillants doivent-ils être titularisés, ou bénéficier de CDI, devenant professionnels, faisant ainsi « carrière » dans cette non-activité ? C'est la version défendue par les syndicats. Peut-être, par ces temps de chômage, est-ce nécessaire. Nécessaire, admettons-le donc, mais bon ! Si l'encadrement de jour, pour des raisons de responsabilité, de formation aussi, une personne avec un diplôme d'infirmière par exemple serait nécessaire, doit être fidélisé, permanent, il me semble que les surveillants de nuit, que j'avais au départ choisis parmi des étudiants qui bénéficiaient ainsi d'un soutien financier, n'ont pas à être bloqués dans des voies sans promotion ni évolution professionnelle.

L'internat est complet chaque saison, avec quelque cent vingt enfants dont les parents habitent en général en banlieue ou en province.

Il était obligatoire à l'ouverture de Nanterre. Il ne l'est plus pour aucun enfant et notamment pour les grands élèves de la première division qui, dans leur dernière année d'École, doivent s'habituer à prendre leur vie en main, à mettre en pratique ce que nous avons tenté de leur inculquer pendant les six années passées à nos côtés. Les professeurs et moi, nous nous rendons très bien compte du processus de refus successifs, puis du point de rupture, du moment où les adolescents ne supportent plus l'internat. Nous avons alors un entretien avec eux et avec leurs parents. Nous sommes chaque fois tombés d'accord. Les jeunes partagent des appartements à plusieurs ou habitent avec des aînés qui font des études ou travaillent à Paris, des solutions acceptables de ce genre ont toujours été trouvées.

Quels professeurs
pour l'École de Danse ?

Le niveau d'une école dépend d'abord de ses professeurs. Ce sujet m'a toujours intéressée et le choix des professeurs reste pour moi une mission essentielle.

Si l'expérience et le travail comptent, bien sûr, je pense cependant que la pédagogie est un don inné. On peut le faire naître, le faire fleurir, mais il faut toujours que la petite flamme existe à l'origine. La générosité et le désintéressement sont essentiels. Il faut faire travailler les autres en fonction d'eux, pas de soi-même.

Comment se nourrit une pédagogie ? Dans un premier temps de tout ce qu'on a appris soi-même, testé au feu de sa propre personnalité et de son propre corps. Ensuite, dans un second temps, il faut s'oublier et appliquer l'enseignement aux élèves, enfants ou adultes, que l'on a sous les yeux. Selon les cas, l'application peut être la même, mais le discours est toujours différent.

Un professeur sait comment on construit une leçon de danse, un pédagogue ira chercher dans le même corpus d'exercices ceux qui apporteront le plus aux élèves, s'attachera à faire comprendre à chacun, suivant ses qualités et ses défauts, le sens du mouvement et son but. Il faut pour cela opérer parfois une sorte de psychanalyse.

Il est nécessaire de sortir du cours établi, d'aller au cas par cas en fonctîon des têtes, des cœurs et des corps.

Avec les professeurs de l'École, nous avons pratiqué cette pédagogie en la préparant par des réunions, des discussions, des séances de questions.

Un enfant ne se découpe pas en tranches comme le voudrait le planning de la scolarité. J'ai donc institué des réunions avec tous les professeurs responsables, pour les matières scolaires comme pour les disciplines artistiques, lorsque se présentait une difficulté, et ce en présence des parents. Que de surprises! La situation envisagée de tous les points de vue, et non d'un seul, trouve une réalité «à facettes» qui permet de résoudre bien des problèmes. Les parents, tenus au courant, s'investissent davantage, les accusations de favoritisme ou de harcèlement tombent, et chacun s'explique.

La préparation des démonstrations publiques, organisées une fois par an depuis 1977, a permis d'illustrer ce travail. Sur une ligne donnée par moi, un canevas de pas, présentant un vocabulaire différent par niveau, chaque professeur montrait avec ses élèves la progression des cours. Les petites classes présentaient les séquences à la barre, puis au fur et à mesure les exercices étaient exécutés au milieu. Les grandes classes présentaient des séquences de pas d'école.

Les professeurs ont, en majorité, adhéré à cette méthode, peu d'entre eux sont restés réfractaires, pour des raisons diverses qui ont sans doute tenu autant à leur personnalité qu'à la mienne.

Mon idée était de constituer, à l'exemple des poupées russes, une maison dans la Maison. J'ai soixante ans de vie commune avec des gens que j'ai connus à l'École de Danse ou ensuite dans le Ballet, pour moi le professeur est un maillon de la chaîne, une image de la destinée, un facteur d'équilibre. Son devoir est de passer la connaissance des corps et la pratique du mouvement.

Comme je l'ai raconté, la place et le rôle du professeur m'ont très tôt passionnée, peut-être même depuis le choix que j'ai fait, lorsque j'avais dix ans, du cours de Ricaux plutôt que de celui de Zambelli.

Ce choix est d'une telle importance qu'il doit échapper à toute autre considération que la compétence.

Je me souviens que Michel Descombey, alors maître de ballet, avait besoin d'engager un professeur pour la Compagnie, je lui ai proposé Josette Amiel. Ce qui a surpris tout le monde car nos relations n'étaient pas spécialement cordiales, mais je la jugeais très musicienne, consciencieuse et vraie dans son enseignement.

Il y a des mots-clés. On dit «donner la leçon», «prendre la leçon». Cette relation n'existe pas toujours, certains donnent peu, d'autres ne savent pas prendre. Si la relation s'établit l'harmonie règne, professeur et élève en sortent grandis.

Il ne s'agit pas seulement d'apprendre une technique aux élèves, il faut aussi les aider à trouver du plaisir dans un travail transcendé, à trouver leur personnalité artistique.

La «machine à danser» ne m'intéresse pas. Un danseur se révèle sur scène, en présence du public. La technique est alors pour lui comme le plancher sur lequel il se tient, il va s'en servir pour «enchanter», au premier sens du terme, le spectateur. Si le public ne reçoit rien, la soirée est ratée, si le public est là seulement pour dire «elle a raté ses tours et lui ses manèges», ce n'est pas la peine. La danse est une science humaine, pas une série d'exercices. L'âme, la sensibilité, la générosité, le don de soi font l'artiste.

C'est le cas de Wilfried Romoli, un des plus beaux artistes du Ballet de l'Opéra. Il est chaque fois intensément présent sur scène, dans le mouvement comme dans l'immobilité, quel que soit son rôle. Il donne sa vie, sa passion, respectant toujours avec humilité ce que le chorégraphe a réglé. Il ne lâche pas son personnage une seconde, lui offrant une consistance nourrie de sa vérité et de sa pureté d'artiste.

Certains ont ce don inné, d'autres l'acquièrent, il faut dans tous les cas leur faciliter la traversée du miroir. Il faut dix ans pour faire un danseur, un an pour le tuer et le danger règne à chaque pas. Connaître un enfant de huit ans, voir en lui l'artiste et son cortège de maux, tenter d'arrondir les angles, le voir partir, parfois se perdre… On ne peut s'en détacher totalement. Pourquoi ma tendresse va-t-elle tout spécialement à ceux qui ont choisi une autre voie ? Pour moi, c'est un échec, je me sens responsable d'eux, des plus fragiles, comme Ghislaine Fallou, la poésie incarnée, un être à part, de ceux qui, comme Raphaëlle Delaunay, ont courageusement suivi leur chemin, d'Eric Vu An qui a quitté l'Opéra blessé, de Marie-Claude Pietragalla, de Jennifer Goubé… Pour tous ceux-là, et pour bien d'autres, le courage fut de partir. Ils ont dû se battre davantage, ils pourraient m'en vouloir, paradoxalement ce sont ceux qui me sont le plus attachés.

Enseigner et diriger n'impliquent pas la même attitude. Sans abdiquer ou partager l'autorité, qu'on pourrait aussi écrire responsabilité, diriger signifie voir les choses de plus loin. C'est vrai pour les élèves, mais c'est vrai aussi pour les professeurs, qui sont parfois très réactifs sur le coup, en sortant de leur classe. Il faut alors modérer le professeur et secouer l'élève, tenter d'éviter des situations de blocage et de conflit. À certains moments, il faut passer, un être humain n'est pas une mécanique, on ne sait jamais ce qui peut traverser l'esprit d'un enfant, ce qui dans sa famille, à l'école, au cours de danse, dans son environnement amical peut le préoccuper. L'adolescence ajoute à cet état de choses les problèmes qui lui sont spécifiques. Mais je comprends bien aussi l'agacement des professeurs, que je partage souvent, quand les jeunes qui ne travaillent pas sont ceux dont le potentiel est certain, alors que ceux qui travaillent le plus sont ceux dont les difficultés sont patentes. Ceci est très difficile à accepter, car l'impression de dons gâchés pour les uns se double d'un sentiment d'injustice par rapport aux autres.

Un enfant ne se transforme pas du tout au tout lorsqu'il change de classe. Pour établir un suivi pédagogique, j'ai institué un travail en équipe : chaque division a un professeur de danse principal qui assure la grande majorité des cours, mais le professeur de la division inférieure et celui de la division supérieure donnent également chaque semaine un cours. Ils gardent ou établissent ainsi un contact avec leurs anciens ou futurs élèves.

À l'École, j'ai fait revenir bien des Étoiles à la retraite, pour construire un enseignement vivant et rétablir une lignée, un jeu des sept familles du Ballet de l'Opéra. Les grands-parents sont Aveline et Zambelli, les parents Ricaux, Lifar, Peretti, puis viendront Vaussard, Moreau, Bozzoni, Renault et ainsi de suite…

Comme hier Serge Lifar, Serge Peretti, Serge Golovine, Lycette Darsonval, Max Bozzoni, aujourd'hui Carole Arbo, Fanny Gaïda, Fabienne Cerruti sont professeurs à l'École de Danse. Voilà ma famille choisie, le temps conduit hors du cercle visible les aînés et y fait entrer les cadets.

Fanny et Carole ont été parmi les premières élèves sorties de l'École lors de ma direction et engagées dans le Ballet, je les ai toujours suivies, je les connais, comme danseuses, comme femmes, comme mères. Bientôt Élisabeth Maurin va venir les rejoindre dans le corps professoral et Élisabeth Platel prendra ma succession.

Aujourd'hui, il est temps de leur confier l'École, leur École. Cette transmission me conforte. Tout comme moi elles auront du mal, mais la continuité est assurée, car nous avons vécu ensemble ce que j'ai construit. Au petit jeu des « Je me souviens ! », les noms de mes maîtres et de mes élèves affluent, toutes générations mêlées : Marie-Claude Pietragalla, Sylvie Guillem, Laurent Hilaire, Manuel Legris, Eric Vu An, ils ont connu Lifar lors de la reprise des *Animaux modèles*, Michel Rayne et Liane Daydé faisant répéter *Le Chevalier et la damoiselle* pour le spectacle de l'École, les premiers cours d'adage de Max Bozzoni et les derniers cours de caractère d'Irina Grjebina.

Inconsciemment, mais dans la vérité, j'ai voulu constituer une famille. À la lueur des événements survenus depuis – et que j'évoque plus loin – il apparaît que cela a été retenu à charge dans le procès qui m'a été fait.

À ce propos, une famille, au sens de l'état civil, il m'en est venu une sur le tard. En 1996, après dix-huit ans de vie commune, pour se protéger l'un l'autre et donner un statut à ce qui existait de fait, Serge Golovine et moi avons décidé de nous marier. Nous nous connaissions depuis un demi-siècle exactement et, à travers les cahots d'existences bien remplies, nous nous étions débarrassés de nous-mêmes. Bien sûr, nous avions, à travers l'École, un sujet commun qui nous reliait au meilleur de notre art, mais j'épousais un homme et non un danseur et son bagage de rôles et de tournées, il épousait une femme, pas une danseuse Étoile, son sac de chaussons et ses horaires d'avions. Ce n'était pas un mariage de vedettes mais une vie de couple. Nous étions tous deux divorcés, jusqu'ici mes maris m'avaient toujours suivie, ses épouses avaient fait de même, maintenant nous allions marcher du même pas. La boucle était bouclée.

Notre vie commune a été tissée de bonheur et d'émotion, nous avons vécu et travaillé et même pour la première fois dansé ensemble sur la scène du palais Garnier, où nous avons incarné le vieux couple du *Bal des cadets* pour une série de spectacles de l'École en 1998.

Ce sont les élèves qui nous ont réunis sur scène. Beau symbole ! Pendant les répétitions, je montrais la chorégraphie en tenant tous les rôles et tout spécialement ceux de la vieille directrice de l'École des demoiselles et du vieux général, directeur de l'École des cadets. Les enfants me dirent : « Oh, Mademoiselle, ce serait tellement bien si vous le faisiez vraiment avec Monsieur Golovine. » Serge n'était pas très chaud, puis il a accepté d'incarner ce militaire chenu et séducteur. Avec l'implication qu'il mettait en toutes choses, il a répété matin, midi et soir, réclamant à Janine Guiton, responsable du spectacle, toujours plus de temps de travail. Je me moquais de lui : « Répéter encore, mais, pourquoi diable, tu n'as rien à faire dans ce ballet ! » Nous nous sommes beaucoup amusés et j'étais si fière d'être enfin sa partenaire sur la scène du palais Garnier.

Et puis tout s'est arrêté, Serge est mort l'année suivante.

De mes démêlés avec la médecine, somme toute je m'étais toujours bien sortie. J'ai touché le fond avec l'hospitalisation et le décès de Serge. Tout s'est joué en moins d'un mois.

Malgré mes objections, Serge a été opéré à l'hôpital de la Salpêtrière le 4 juillet pour un triple pontage coronarien. Je craignais cette période de vacances et sa saisonnière désertification des services. J'avais fait des cauchemars qui m'avaient impressionnée, mais Serge, désireux d'aller vite, avait balayé mes peurs. L'opération s'est bien passée et le 12 juillet on me demandait de lui apporter des vêtements en prévision de sa sortie. Je l'ai trouvé mal en point, avec des pulsations cardiaques à 120 que l'infirmière imputa à un défaut de la machine. Dans la nuit, un œdème pulmonaire s'est déclaré et a nécessité une nouvelle opération d'urgence. À partir de là Serge a beaucoup souffert, ne pouvant plus parler, râlant, devenant squelettique. Au bout de trois jours de ce supplice, j'ai exigé qu'on le fasse dormir pour suspendre la douleur et je n'ai plus été autorisée à le voir. L'hôpital m'a appelée le 25 juillet, m'accordant une visite pour son réveil. Quand je suis arrivée, son état avait empiré et il avait fallu l'endormir à nouveau. Le lendemain matin, on m'annonçait un mieux certain et son transfert à l'hôpital Ambroise Paré, avec à la clé un rendez-vous deux jours plus tard avec le médecin qui le suivrait.

Le 30 juillet, à 3 heures du matin, un bref appel téléphonique m'annonçait sa mort et m'enjoignit de venir immédiatement. J'étais abasourdie, ahurie, sans réaction, mon frère a dû prendre les choses en main. Une idée fixe me tenaillait : récupérer son alliance pour la passer à mon doigt. L'hôpital me refusa cet anneau, arguant de la nécessité d'autorisation des héritiers et du notaire. C'est au bout d'une longue bagarre que j'ai pu, à la fin octobre, faire ce geste infime mais si important pour moi. J'ai ainsi appris qu'un malade n'appartient plus à sa famille mais aux soignants L'attitude des responsables, l'impossibilité d'obtenir des informations, la peur de déranger et que le malade en subisse des représailles m'ont choquée. Il n'y a plus de combativité, ni de réactivité qui tiennent dans un pareil environnement.

J'ai eu beaucoup de mal à émerger, à retrouver un appétit de vivre. Parfois, en voyant certains de ses élèves, la présence de Serge m'est rendue le temps d'un mouvement, chez Nicolas Le Riche par exemple, et surtout chez Jean-Guillaume Bart.

Nicolas a les tours de Serge, son attaque des pirouettes. Il fait un grand travail sur lui-même, qu'il fera un jour sur les autres.

Jean-Guillaume a été un élève très précis, très attentif. Il a, de Serge, les positions du haut du corps, le dos, les bras, les mains, gracieuses sans être efféminées. S'en rend-il compte ? Est-ce un mimétisme inconscient par rapport à son professeur ?

Le corps professoral est à l'École d'une remarquable stabilité. Aucun professeur ne nous a quittés avant que sonne pour lui ou pour elle l'âge de la retraite.

Pourtant, là aussi, les dernières années ont vu se développer réclamations et amertume.

Les professeurs sont des danseurs du Ballet de l'Opéra qui, après leur retraite de la Compagnie, font une seconde carrière à l'École où leur contrat leur fait obligation de donner huit cours par semaine. Tous touchent une retraite de l'Opéra au titre de leur première carrière. Pour leur seconde carrière, une partie d'entre eux, les anciens, est soumise au régime général de la Sécurité Sociale qu'ils toucheront à l'âge de soixante-cinq ans. Par contre, les nouveaux ont pu bénéficier du changement de statut obtenu en 1995, au titre d'une dérogation pour les métiers de la transmission de la connaissance artistique. Ils cumulent donc une deuxième retraite de la Caisse de l'Opéra, plus avantageuse que celle du régime commun et qu'ils toucheront à l'âge de soixante ans. Cette situation n'a pas été traitée avec assez de sérieux par les divers Services du Personnel qui se sont succédé, peut-être parce qu'elle ne concernait que quelques personnes, peut-être parce que l'École fonctionnait bien et n'était pas considérée comme un des brûlots qui jalonnent la vie de l'Opéra… Jusqu'au jour où…

J'ai naturellement été créditée de ce dysfonctionnement auquel je ne peux rien.

Cette disparité des statuts est une source d'ennuis qui gâte les relations entre les uns et les autres.

Quels élèves
pour l'École de Danse ?

Il faut, en préambule, rappeler le début du premier article du règlement : « L'École de Danse de l'Opéra national de Paris a pour mission principale l'enseignement professionnel de la danse académique classique. » Pourquoi cette solennité dans mes propos ? Pour bien établir ce qui semble, de nos jours, prêter à confusion : l'École n'est pas destinée à des enfants qui aiment la danse, mais à des enfants qui veulent en faire leur métier ce qui est bien différent. Depuis qu'elle fut fondée par Louis XIV, voici plus de trois siècles, dans le but de former des danseurs pour le Ballet de l'Opéra, l'École est mixte et gratuite. Seul l'internat, qui n'est pas obligatoire, est payant.

Chaque année, deux cent cinquante à trois cents enfants se présentent, avec une majorité de filles. En 2001, grâce au grand succès du film *Billy Eliott*, cinquante garçons postulaient, ce fut une année exceptionnelle !

Les candidatures sont spontanées, car nous ne faisons pas de prospection, contrairement à bien des institutions étrangères.

La lecture des articles du règlement permet de rester

dans la vérité la plus stricte, à la virgule près, de constater ce qui relève de la responsabilité de la seule directrice de l'École, ce qui est de la responsabilité collective des membres des jurys.

Article 4 – Accès à l'École

4.1. Conditions d'admission

L'accès à l'École se fait au vu des résultats d'un examen qui doit être précédé d'un stage.

Les candidats au stage doivent être âgés au 31 décembre de l'année de l'inscription : de huit ans à onze ans-six mois pour les filles, et de huit ans à treize ans pour les garçons.

Les modalités d'organisation de ce stage sont précisées en début d'année scolaire.

Les candidats ayant suivi deux fois le stage sans être admis à l'École ne peuvent se présenter une troisième fois à l'examen d'entrée.

Tous les candidats doivent satisfaire aux critères de poids et de taille demandés. De plus, ceux qui se trouvent en limite d'âge doivent avoir atteint un bon niveau technique.

4.2. Stage

Une pré-admission au stage est prononcée par la directrice de l'École, assistée de deux professeurs, au vu des résultats d'un examen d'aptitude physique, notamment morphologique, à la danse (premier éliminatoire).

Les enfants retenus lors de la pré-admission sont convoqués pour un examen plus approfondi à base de mouvements techniques et exercices de danse (deuxième éliminatoire). L'admission au stage est prononcée dans les mêmes conditions que la pré-admission.

Les enfants admis ont la possibilité d'être hébergés à l'internat de l'École pendant le stage. Ils suivent les cours d'enseignement général dispensés sur place.

Ils passent un examen médical approfondi pendant le stage.

À tout moment l'élève peut être exclu du stage par décision motivée de la directrice de l'École de Danse pour insuffisance de travail, non-respect de la discipline ou toute autre faute grave (cf. art. 12).

C'est à ce seul moment de l'admission au stage que ma voix est prépondérante puisque, accompagnée tout de même par deux professeurs, je décèle alors les candidats qui, ayant satisfait aux critères d'âge, de taille et de poids, témoignant d'une envie de faire un effort physique, d'un besoin de s'exprimer physiquement, seront admis au stage.

Les critères médicaux de taille et de poids en vigueur aujourd'hui ne sont pas les mêmes que ceux d'hier. Nous les avons fait évoluer au vu des mensurations des jeunes générations, toujours plus grandes et plus sveltes. Pour donner quelques exemples, j'étais dans le Ballet considérée comme une des « grandes », avec mon mètre soixante-six, même chose pour Claire avec son mètre soixante-neuf. Nos ballerines mesurent maintenant fréquemment un mètre soixante-dix ou douze. Il en est de même pour les garçons : Jean Babilée mesurait un mètre soixante-neuf, Serge Golovine un mètre soixante-douze, Serge Lifar un mètre soixante-quatorze. Voyez aujourd'hui, nos grands danseurs comme José Martinez ou Nicolas Le Riche, Hervé Moreau ou encore Denis Ganio. Leur haute taille, d'un mètre quatre-vingts et plus, qui en fait des interprètes à la ligne superbe, n'est pas forcément un avantage pour les pas de batteries et les mouvements rapides. Nicolas Le Riche constitue une exception, car sa musculature correspond à son ossature et lui permet tout. Agnès Letestu s'est présentée par deux fois au stage. Elle était, au départ, ce n'est plus évidemment le cas, désavantagée par sa taille par rapport aux enfants du même âge. On avait tendance à lui demander plus qu'aux autres et elle n'arrivait pas à mémoriser toutes ces demandes.

Certains enfants sont déjà, en miniature, eux-mêmes. J'ai encore en mémoire l'image de Marie-Claude Pietragalla, vêtue d'une tunique orange, se présentant au stage. Beauté brune, animée d'un sens de la perfection très développé, elle se mettait en rage contre elle-même, donnant des coups de pied dans les plinthes, s'admonestant : « Tu vas y arriver, il faut que tu y arrives ! » Elle voulait tout faire très bien tout de suite. Telle elle était, telle elle est restée.

À l'issue de ce stage, un examen devant un jury présidé par le directeur de l'Opéra et comprenant la directrice de la danse de l'Opéra, une personnalité qualifiée désignée par le Directeur, la directrice de l'École, un professeur de l'École que j'ai désigné, et deux danseurs du Ballet élus par leurs camarades, décidera de l'entrée du candidat à l'École. Les décisions sont prises à la majorité absolue, le Président ayant voix prépondérante en cas de partage de voix.

L'origine géographique des élèves a peu changé au cours de ces trente dernières années. La moitié des effectifs environ vient de la région parisienne. Les enfants originaires du Midi ont du mal à s'acclimater aux conditions de vie dans la capitale, pas assez d'ensoleillement ni de chaleur, pas assez de vie au dehors. Ils restent peu à l'École et partent étudier en Italie.

Il existe des viviers, comme les écoles de danse de Montpellier et de Nancy, deux ou trois cours parisiens. Les enfants qui sortent des Conservatoires sont maintenant, par suite de la réforme des programmes, mal ou trop peu préparés.

Nous préférons aujourd'hui faire entrer à l'École des enfants de huit ou neuf ans, qui n'ont pas encore commencé leur préparation et assurer nous-mêmes le premier apprentissage. Pour des raisons évidentes, il y a peu de sujets étrangers chez ces petits élèves, leur nombre va s'accroître dans les grandes classes.

Pour ce recrutement, nous souffrons du mauvais enseignement de base souvent donné aux jeunes enfants par des professeurs, certes diplômés, mais qui n'ont jamais dansé.

Après trois ou quatre ans de cours, les enfants savent peu de choses et surtout savent mal en étant persuadés de savoir !

Une fois à l'École, les enseignants sont donc forcés, avant de commencer à construire, de leur « désapprendre », ce qui est frustrant pour tous, le mal étant parfois irréparable. Ce premier enseignement me gêne toujours. Il est indispensable pour préparer les enfants, en leur donnant des principes qui leur permettent, au bout de quelque temps, de sentir leur corps et de maîtriser le mouvement ; mais, avant d'en arriver là, on fait davantage appel à la discipline et à la mémoire qu'à la réflexion, ce que je n'aime pas.

Pourtant, il faut aussi apprendre à lire et à compter de la même manière, sans discuter, 2 et 2 font 4, c'est ainsi. Cet avis n'est pas, et de loin, général. Beaucoup de professeurs prônent la liberté du mouvement de l'enfant, son instinct du geste. Dans le cas de la danse classique il ne peut en être ainsi, du moins avant un certain âge, la codification, les règles sont là et ne peuvent être enfreintes.

La progression des études de danse se fait ensuite au long d'un cursus allant de la sixième à la première division, filles et garçons ayant des cours séparés et ne se retrouvant que pour les cours d'adage dès la deuxième division. Un examen annuel décide du passage dans la division supérieure, du redoublement ou du renvoi.

Article 6 – Études chorégraphiques

6.2. Programme de travail

Les leçons ont lieu tous les jours, sauf le samedi et le dimanche, aux heures fixées par la directrice de l'École. Les horaires peuvent être aménagés ou les leçons suspendues temporairement par décision de celle-ci.

Aux cours de danse classique sont adjoints des cours complémentaires : mime, folklore, danse de caractère, jazz, danse moderne, formation musicale, expression musicale, histoire de la danse et anatomie-physiologie.

La directrice de l'École, en concertation avec l'Éducation nationale, fixe la date de rentrée des classes et celle des congés scolaires, compte tenu du planning de travail de l'École et du besoin des spectacles avec le Ballet de l'Opéra National de Paris. Les dates des congés sont communiquées au début de l'année scolaire.

6.3. Système de notation des élèves

La notation de l'élève est constituée par la note de l'examen et par les quatre notes suivantes :
- *une note de travail donnée par le professeur de danse principal,*
- *une note d'aptitude artistique et technique donnée par la directrice,*

Pour ces deux notes, la notation se fait sur 20.
- *une note de discipline et de comportement général donnée par la surveillante générale ou le surveillant général,*
- *la note moyenne de l'année de tous les cours complémentaires,*

Pour ces deux notes, la notation se fait sur 10.

La note de travail et celle de discipline et de comportement sont attribuées chaque mois. La moyenne de ces notes est faite en fin d'année et il en est tenu compte lors de l'examen annuel.

La note de discipline et de comportement tient compte de la conscience professionnelle de l'élève. Le manque d'assiduité aux leçons ou un comportement fautif peuvent entraîner les sanctions disciplinaires prévues à l'article 12.

En fin d'année ces quatre notes sont totalisées et s'y ajoute celle qui résulte de l'examen afin d'établir la note finale.

Article 7 – Examen annuel

7.1. Dispositions générales

L'examen de fin d'année est obligatoire pour tous les élèves jusqu'à la 2ᵉ division. Tout élève qui ne se présente pas à l'examen est exclu d'office de l'École de Danse.

Cependant, pour se présenter à cet examen les élèves de la 2ᵉ division doivent obligatoirement avoir obtenu des certificats d'aptitude, délivrés par les professeurs concernés, dans les matières suivantes : la formation musicale, l'histoire de la danse et l'anatomie appliquée à la danse.

À titre exceptionnel, un élève peut être dispensé de l'examen pour raison de santé. Dans ce cas, il est procédé à un examen de contrôle dans les trois mois suivant la reprise de l'élève. Le jury est alors composé de la directrice de l'École de Danse et de deux professeurs de l'École désignés par elle. La décision est prise à l'unanimité.

La date des épreuves de l'examen est communiquée aux élèves au moins dix jours avant leur déroulement.

Le public n'est pas admis à assister aux épreuves.

7.2. Nature et déroulement des épreuves

Les épreuves sont constituées par une présentation et un adage, une variation et une coda donnés par la direc-

trice de l'École de Danse ou les professeurs, dix jours à l'avance.

Les filles et les garçons comparaissent séparément devant le jury, par division et par groupe de deux, trois ou quatre.

7.3. Composition du jury – délibération – procédures de vote

Le jury est composé de :
- *La directrice de l'École de Danse, Président,*
- *Le directeur de la Danse ou son représentant,*
- *Deux professeurs de danse de l'École de Danse élus par le corps professoral, ainsi qu'un suppléant désigné dans les mêmes conditions,*
- *Deux artistes chorégraphiques de l'Opéra National de Paris ayant au moins rang de sujet ou plus de six années d'ancienneté dans le Ballet, élus par celui-ci, ainsi qu'un suppléant élu dans les mêmes conditions,*
Les décisions sont prises à la majorité absolue. Le Président a voix prépondérante en cas de partage égal des suffrages.

Le jury délibère d'abord sur le cas des élèves dont il estime que le renvoi ou le redoublement s'impose.

Le jury procède ensuite à un vote à bulletin secret pour la notation de chaque élève. Chaque membre du jury attribue une note sur 20 points à chaque candidat. La note globale du jury est la moyenne des notes ainsi attribuées.

La note du jury est multipliée par trois pour être sur 60 et avoir un poids identique à celui des notes de l'année définies à l'article 6.3. auxquelles elle est additionnée. Peuvent être admis dans la division supérieure en fonction des places disponibles les élèves ayant obtenu une note globale égale ou supérieure à 60.

Les élèves qui ne sont pas admis dans la division supérieure peuvent, selon leurs résultats, soit :

— *être maintenus dans leur division sous réserve des limites d'âge définies par l'article 6,*
— *être exclus de l'École*

   Les changements de division, les redoublements et les décisions de renvoi sont affichés dans l'ordre du classement par la directrice de l'École le jour même ou au plus tard dans les trois jours qui suivent l'examen.

J'ai moins de contacts avec les élèves depuis que l'École est à Nanterre, c'est une évidence. Ils sont plus nombreux, les locaux sont plus grands, l'organisation mieux assurée.

Depuis la fenêtre de mon bureau, mon regard plonge sur le parc. J'ai ainsi constaté au cours des années que les enfants jouent de moins en moins. Où sont passés les marelles, les carrés, les cordes à sauter, les élastiques ? Et, à l'internat, on ne trouve plus de jeux de cartes, de petits chevaux, de jeux de l'oie. En revanche, les héros (mais est-ce le bon terme ?) des émissions de télévision règnent partout et sont affichés sur les murs de toutes les chambres, accompagnés pour faire bon poids de quelques monstres, qui témoignent de la fascination des jeunes générations pour les films d'horreur. Ces affreux posters sont presque à égalité avec les photos de danse. Nos partenaires de l'Éducation nationale m'assurent qu'il en est de même dans toutes les cours de récréation, dans toutes les chambres d'enfants. Les jeux vidéo ont remplacé les jeux de société, et la société à quoi joue-t-elle ?

Beaucoup d'enfants nous viennent influencés par leurs parents et non de par leur volonté propre. Parents qui ont rêvé d'être danseurs eux-mêmes, parents qui veulent que leur enfant « arrive » à tout prix. La déclaration la plus extrême que j'ai pu entendre lors du premier entretien avec parents et enfants fut celle d'une mère accompagnée de sa fille qui prophétisait : « Nous serons danseuse » ! Certains abandonnent ce qui faisait leur vie jusque-là, déménagent, changent de métier, pour s'installer à Paris et pousser leur enfant. La valorisation sociale que représente l'entrée à l'École de Danse de l'Opéra est énorme. L'Opéra reste un mythe, aussi en cas d'échec à l'examen d'entrée ou au cours des études, quelle catastrophe ! Tout l'équilibre de la famille s'en ressent.

Contrairement à ce qui se passe aux États-Unis, il y a assez peu en France de dynasties de danseurs. Les professionnels sont très clairvoyants et assez circonspects sur leurs propres enfants. Mis à part des caractéristiques physiques, il n'y a d'ailleurs pas d'héritage d'une génération à l'autre. Les deux seuls cas dans le Ballet sont ceux de Noëlla Pontois et Miteki Kudo, la mère et la fille, de Dominique Khalfouni et Mathieu Ganio, la mère et le fils, ajoutons que dans l'un et l'autre de ces cas, le père est danseur aussi.

Cette filiation peut être à l'origine de problèmes ; ainsi pour Jennifer Goubé dont j'étais la petite-mère. Ses parents, danseurs tous deux, voulaient la conseiller et l'aider. Elle refusait systématiquement de les écouter et ils finirent par baisser les bras et par me confier leur fille. Nous avons beaucoup parlé toutes deux et je crois qu'elle m'a fait confiance. Elle n'a pas trouvé sa place à l'Opéra. Toujours mal à l'aise, perdant confiance, elle a quitté la Maison et été heureuse dans la Compagnie de John Neumeier à Hambourg. Fortifiée dans son amour de la danse, elle a pu y interpréter de grands rôles et retrouver une paix intérieure qu'elle va mettre maintenant au service de l'enseignement.

Heureusement, nous ne sommes plus sujets aux pressions politiques et sociales comme dans les années 60. Députés et maires, milliardaires et vedettes n'interviennent plus pour pousser telle ou telle candidature. J'ai repris les méthodes du XIXe siècle qui consistaient à noter en clair les problèmes physiques qui motivaient les refus : absence de cou-de-pied, raideur des articulations, largeur du bassin... Ces précisions pourraient être divulguées en cas de contestation grave.

Nous avons aussi évité les accusations de corruption en interdisant les cadeaux à la directrice, seuls sont autorisés, en fin d'année, une fête et un cadeau collectif. On évite ainsi, autant que faire se peut, les histoires d'argent.

Cette fête est étonnante, elle est entièrement organisée par les élèves qui choisissent leurs musiques, montent leurs chorégraphies ou leurs sketches, réalisent leurs costumes avec une liberté et une imagination extraordinaires. Tout est monté, répété dans le plus grand secret, les invités, professeurs et parents, comme moi, auront la surprise la plus complète. Le spectacle se clôt en général par un can-can débridé. Caractères et personnalités explosent dans un humour décapant. Chaque année apporte son lot d'émotion. Nous avions commencé ces spectacles lorsque l'École était au palais Garnier, dans la classe A. Ils sont maintenant donnés traditionnellement dans l'Amphithéâtre de l'École avant Noël.

S'il faut se séparer d'enfants en cours d'études, car ce serait un mauvais service à leur rendre que de les laisser s'engager dans une voie qui ne leur convient pas, la liaison avec les parents est primordiale. Annoncer à des parents que l'École ne peut garder leur enfant est pour moi, vous pouvez m'en croire, un fort mauvais moment. Les réactions sont souvent violentes.

Les parents prennent parfois comme une humiliation personnelle ce qu'ils considèrent d'abord comme une injustice, sans penser au bien de l'enfant qui évoluera d'autant plus facilement dans une autre direction qu'il est plus jeune. Dans des cas extrêmes, j'ai connu de rares phénomènes de rejet, les parents repoussant leurs enfants, les rendant responsables et clamant « Mais qu'est-ce qu'on va en faire ? » Où est l'amour dans tout cela ?

Les enfants sont parfois plus courageux. Confrontés à des parents déboussolés, ils serrent les dents et gardent leur fierté. Les conseils qui nous sont demandés, et qui sont bien volontiers prodigués, s'avèrent la plupart du temps parfaitement inutiles. Le proverbe chinois, «donner un conseil c'est donner un peigne à un chauve», me semble toujours d'actualité.

Les enfants, en tout cas jusqu'à dix ou douze ans, ont peur de décevoir leurs parents, ou leurs professeurs, ou Mlle Bessy! Il y a ainsi des enfants victimes, qui pleurent le soir à l'internat, d'autres héroïques, qui serrent les dents mais en feraient bien autant, et des enfants extrêmement sociables, ou déjà bien protégés, qui sont comme des poissons dans l'eau dans ce milieu communautaire.

Petite société, l'École n'est pas un lieu d'angélisme, et les enfants sont parfois cruels les uns envers les autres. J'ai dû intervenir bien des fois et sur bien des problèmes, allant des plus inconsistants aux plus graves. La couleur de la peau est malheureusement, comme ailleurs, un sujet sensible. Jean-Marie Didière, avec l'aide active de son grand copain Patrick Dupond, résolvait le problème en étant particulièrement turbulent et indiscipliné. J'étais leur petite-mère et Geneviève Guillot, qui m'a précédée à la direction de l'École, m'a souvent demandé de l'aide pour ramener ces deux garnements à la raison. J'intercédais et grondais, ils se tenaient tranquilles un mois ou deux puis repartaient de plus belle. Pour Eric Vu An, en butte à des réflexions blessantes, j'ai dû rassembler les élèves et mettre les choses au point. La beauté d'Eric enfant, miniature d'homme aux jambes droites, à la taille fine, aux épaules larges, était saisissante. Il a acquis une remarquable technique qui, alliée à sa personnalité, aurait dû lui permettre une grande carrière dans le Ballet, il en a été privé, parce qu'il ne supportait pas l'injustice, refus dû peut-être à ce qu'il avait enduré étant enfant. Raphaëlle Delaunay a, elle aussi, très mal vécu cette différence. Les obligations qui lui ont été faites de se maquiller le corps, par exemple pour ces fameux «ballets blancs» de notre répertoire, l'ont blessée. Je lui dis souvent qu'elle porte sa couleur comme un drapeau et qu'elle est plus dans sa tête que sur ses traits, mais elle ne peut l'oublier.

Le cursus des études laisse une large part au redoublement d'une classe, qui n'a pas du tout le même aspect stigmatisant que dans l'Éducation nationale. Au contraire, il vaut mieux chez nous redoubler la sixième division (les petits) que la troisième.

Une solide installation de base, grâce à des critères physiques donnés et innés et à l'acquisition d'une bonne compréhension du corps et du mouvement, est indispensable. Un enfant peut mettre plus d'un an à l'assimiler ; une deuxième année dans la même division doit lui être accordée. Il peut aussi s'agir de problèmes de croissance physique, surtout chez les garçons. Ainsi, Yann Saïz a dû redoubler la 3e division alors qu'il avait acquis la technique nécessaire pour monter de classe, mais il ne grandissait pas. Puis, au retour des grandes vacances, nous avons constaté qu'il avait pris dix centimètres, et on sait quel danseur à la superbe silhouette il est devenu, car il a continué à grandir dans le Ballet. Cet allongement subit l'a obligé à tout retravailler : les points de giration, les appels de saut, les équilibres. Les jeunes filles rencontrent rarement ce problème. Leur squelette se stabilise plus tôt à cause de la puberté.

De la même façon, nous proposons à des jeunes qui, au bout de trois ou quatre années d'études, ne savent plus où ils en sont, de participer au cours comme auditeurs libres pendant un an. Ils peuvent ensuite, s'ils le souhaitent et si leurs résultats se sont stabilisés, retrouver une place dans l'École.

Article 8 – Auditeurs libres

Les élèves qui ont suivi au minimum quatre ans d'études dans l'École et qui sont renvoyés à la suite de l'examen, peuvent, après consultation des professeurs et de la directrice de l'École, être autorisés pour une année à suivre les cours en qualité d'auditeurs libres.

Ils peuvent, s'ils ne sont pas atteints par la limite d'âge, se présenter à l'examen l'année suivante avec l'accord de la directrice de l'École au vu des résultats obtenus au cours de l'année. À l'issue de ce nouvel examen le jury se prononce sur la réintégration ou le renvoi de l'élève.

Les élèves de première division n'ayant pas été engagés dans le Ballet après le concours d'entrée et ayant dépassé la limite d'âge peuvent être admis à suivre les cours de l'École en auditeurs libres jusqu'au 31 décembre de l'année en cours.

Déceler les vocations chez les garçons est souvent plus difficile. Ils sont moins volontaristes, se décident plus tard, évoluent moins rapidement que les filles.

Une fois les éléments de base installés, commence à se dessiner le futur professionnel. Quand les élèves arrivent en troisième et deuxième divisions, ce sont déjà des danseurs, même s'ils ne répondent pas aux critères Opéra de Paris pour des raisons de taille, de physique ou de technique. Il faut prévoir leur avenir. Quoique l'École soit un lieu d'apprentissage et non une agence de placement, les professeurs et moi nous essayons de les aider au maximum à trouver leur voie. Les années passant, c'est de plus en plus difficile, car le nombre de compagnies diminue de façon drastique ; pour le moment, nous avons encore toujours trouvé, mais le choix se réduit.

Dans les classes de deuxième et première divisions nous avons autour de six à huit élèves. S'il reste des places disponibles nous accueillons des élèves payants, qui ont entre quatorze et seize ans et viennent se perfectionner. Certains resteront dans l'École, comme ce fut le cas pour Eléonora Abbagnato. Laëtitia Pujol, José Martinez ou encore Frédéric Olivieri, nous sont arrivés après leur premier prix au concours de Lausanne.

J'avais vu pour la première fois Eléonora alors qu'elle

participait à un stage à Venise, elle avait douze ans et m'avait présenté la variation de la fée dragée dans *Casse Noisette*. Il lui restait un grand travail à faire sur sa technique et lorsqu'elle est entrée à l'École je me suis beaucoup battue avec elle pour la discipline. Elle a infiniment de facilité, la beauté, le charme et le charisme. Laëtitia arrivait d'une école toulousaine très dure, et elle dit avoir trouvé une sorte de paradis à Nanterre ! Elle avait déjà une personnalité, une technique, un dos ferme. Les années de corps de ballet ont un peu éteint son rayonnement qu'elle retrouvera dans son parcours d'Étoile. Je m'interroge d'ailleurs de plus en plus, ces jeunes filles feront-elles mieux que ce qu'elles faisaient pendant la dernière année d'École ? Pour la technique, l'habitude de la scène, c'est certain. Mais pour le rayonnement ? Elles pourraient acquérir le meilleur d'elles-mêmes en dansant très vite des rôles de solistes, sans être freinées par une station trop longue dans le corps de ballet.

D'autres élèves rejoignent l'École après un prix obtenu en dernière année de Conservatoire.

*Article 5 – Diplômes des Conservatoires –
Prix internationaux*

Article 5.1

Après audition devant la directrice de l'École et trois professeurs, peuvent être admis dans la première, la deuxième ou la troisième division de l'École, selon leur âge et leur aptitude :
– *les élèves du C.N.S.M.D. (Conservatoire national supérieur de musique et de danse) de Paris ayant obtenu le diplôme supérieur de danse (option danse classique) ou le certificat de danse (option danse classique),*
– *les élèves du C.N.S.M. de Lyon ayant obtenu le diplôme national d'études supérieures chorégraphiques (option*

danse classique) ou le certificat d'études supérieures chorégraphiques (option danse classique),
– les lauréats des concours internationaux,
– les élèves des C.N.R. (Conservatoire national en région) et E.N.M.D. ayant obtenu le diplôme d'études chorégraphiques (option danse classique) ou le certificat technique (option danse classique cursus A).

Ils doivent obligatoirement suivre deux années d'études dans l'École – avec possibilité de dérogation pour les sujets d'exception admis en première division – avant de passer le concours d'entrée dans le Ballet.

Faute de candidats adéquats, nous n'avons plus que rarement en dernière année de l'École les premiers prix du Conservatoire, comme cela s'était fait pour Élisabeth Platel, Isabelle Guérin, Jean-Yves Lormeau, Clairemarie Osta et Nolwenn Daniel. Les temps reviendront peut-être.

Les jeunes étrangers nous arrivent, en nombre limité certes, en seconde et première divisions.

Article 5

Article 5.2 – Élèves payants

Des élèves français ou étrangers, désirant parfaire leur formation de danse classique, peuvent être admis à suivre des études payantes à l'École de Danse, après audition devant la directrice de l'École et trois professeurs, dans les classes de danse correspondant à leur niveau technique, pour un minimum de deux années d'études. Leur assiduité est sanctionnée par un certificat attestant le suivi de leur scolarité.

Ils peuvent être admis à titre très exceptionnel et sur décision de la directrice et de quatre professeurs de l'École de Danse, élus par l'ensemble des professeurs, à passer le

*concours d'entrée dans le Ballet de l'Opéra. Il est égale-
ment possible pour des élèves étrangers de faire des stages
de perfectionnement d'un ou de plusieurs trimestres, après
avoir passé une audition.*

*Ces élèves sont assujettis au règlement de l'École,
dont le non-respect constitue une cause de renvoi.*

*Le coût de l'enseignement et de l'hébergement, payable
au début de chaque trimestre, est fixé au début de l'année
scolaire par la direction de l'Opéra.*

Même si ils connaissent encore tous les problèmes
d'adaptation dus au déracinement et à l'éloignement de
leurs familles, ces jeunes étrangers les surmontent plus
facilement grâce aux désirs d'indépendance qui viennent
avec l'adolescence. J'ai toujours admiré leurs facultés
d'assimilation à notre mode de vie comme à notre langue,
qu'ils maîtrisent à une vitesse record grâce aux cours de
l'Alliance française et à leurs camarades. Miho Freji est la
première jeune ballerine de nationalité japonaise à entrer
dans la Compagnie, après avoir passé quatre ans à l'École.

Pendant trois années consécutives, l'École a également
accueilli de jeunes gymnastes qui préparaient des épreuves
internationales. C'est ainsi que Sylvie Guillem nous est arrivée, avec trois de ses camarades, au moment des Jeux de
Moscou. Janine Guiton leur donnait une classe spéciale,
avec une barre, des exercices d'échauffement et d'étirement,
de respiration du mouvement, sans insister sur l'en-dehors.
Immédiatement, nous repérâmes les qualités naturelles de
Sylvie, élève timide et effacée. Qualités intellectuelles et
physiques, caractère, personnalité, volonté et… la grâce. Le
premier spectacle auquel elle a participé a été pour elle un
révélateur de son destin. Elle dansait la variation de la
Sylphide dans *Le Bal des cadets*, qui comporte une grande
arabesque penchée. Je l'avais prévenue : « Ne va pas au bout
du mouvement, tu dois le contrôler. » Lors du premier spectacle, elle dut poser la main à terre pour conserver son équi-

libre et en fut fort fâchée car elle était déjà d'un perfection-
nisme absolu. La leçon était apprise et il n'y eut plus jamais
de problème. Il n'était d'ailleurs jamais nécessaire de lui
dire les choses deux fois, chaque remarque était enregistrée,
chaque instruction appliquée. Cette danseuse d'exception
est un être libre. Ses principes de vie et de travail sont d'une
telle exigence qu'elle ne pourra jamais s'adapter à une structure ou à un groupe dont l'idéal ne rejoint pas le sien. Son
travail et son intelligence se greffent sur un corps unique,
dont je n'ai jamais vu l'exemple. La musculature de son pied
en particulier, qui se rapproche de celle de Baryshnikov, est
étonnante.

Le physique des jeunes générations a beaucoup changé
en un demi-siècle. Nous assistons à des « mutations », abou-
tissant à des sujets très grands ou très petits. À âge égal, les
garçons sont souvent plus petits que les filles, avec des
variations de taille importantes.

Les pathologies, quant à elles, ont aussi en trente ans
beaucoup évolué. D'abord en raison du régime souvent très
strict suivi par les femmes enceintes, fragilisant ainsi leurs
enfants qui vivent sur l'héritage maternel jusqu'à la puberté.
Ensuite à cause de l'alimentation, devenue faible en vita-
mines. Les fractures de fatigue, inconnues voici un demi-
siècle, trouvent là une de leurs causes, l'autre étant la
souplesse des chaussons de danse dont les semelles sont trop
faibles. Cela constitue une source de confort certes, les danseuses enfilent maintenant une paire de pointes neuves avant
de rentrer en scène sans avoir besoin de les briser préalable-
ment. Mais cette facilité a un prix, le pied est plus étalé,
moins tenu, la voûte plantaire moins travaillée, les atterris-
sages plus violents, les chocs plus douloureux, ce qui favo-
rise ces fameuses fractures de fatigue du métatarse.

Tout récemment, un fabricant est venu me présenter
un nouveau modèle de chaussons de demi-pointes : deux
petites rondelles de cuir souple pour la semelle, un tour de
filet élastique pour le chausson lui-même, autant dire une

liberté et un confort parfait, mais aucun maintien du pied. Quelle absurdité !

Avec les professeurs et les surveillants, nous sommes très vigilants sur l'alimentation des enfants. La conquête de la minceur est un thème privilégié des conversations entre jeunes filles et la compétition entre elles fort vive. Elles trouvent, hélas, modèles et conseils dans les magazines où règnent les mannequins. Toute observation de régime drastique ou de perte de poids importante chez une jeune fille donne lieu de ma part à une véritable enquête. Cela nous a évité, à une exception près, les cas d'anorexie si difficiles à traiter. La cantine est un lieu de contrôle et nous sommes particulièrement attentifs au volume, au contenu et à la composition des plateaux-repas.

Il est étonnant qu'en un siècle où le corps est un sujet récurrent, décliné jusqu'à l'écœurement et sur «tous supports», la minceur puisse seule compter. La plupart des humains qui m'entourent n'ont pas conscience de leur corps, la plupart des membres de professions médicales que j'ai eu l'occasion de rencontrer ne savent pas regarder un corps. Pourtant, à mon avis, les problèmes physiques se voient bien souvent autant qu'ils se ressentent. Peut-être ai-je l'œil trop aiguisé par le souci constant des élèves de l'École. Il en résulte une sorte de déformation, le spectacle d'une plage est d'ailleurs pour moi un supplice, tant je brûle d'envie d'intervenir, alors que personne ne me le demande !

Bien sûr, il arrive encore que se posent à nous les problèmes de croissance qui modifient profondément le corps des adolescentes, apportant avec la puberté son lot de mutations du squelette. C'est de plus en plus rare, car les professeurs et moi avons acquis, au fil des années, une connaissance approfondie des qualités physiques et psychologiques qui assureront le développement harmonieux du danseur. Nous décelons, quasiment à coup sûr, les proportions idéales du squelette chez les jeunes enfants qui postulent à l'École de Danse : membres inférieurs, bassin, taille, écart entre la hanche et la première côte flottante, cou. Cet examen nous permet d'éviter le renvoi en cours d'études pour des raisons physiques, si difficile à surmonter pour les élèves. Il y a évidemment des accidents, mais de moins en moins. Les séparations obligées proviennent plutôt de problèmes dans le domaine de la technique du mouvement, de plus en plus exigeante, ou de difficultés psychologiques.

Y a-t-il d'ailleurs encore une esthétique modèle du corps du danseur ? Je ne le pense pas en regardant nos Étoiles et premières danseuses : Eléonora Abbagnato, Marie-Agnès Gillot, Mélanie Hurel, Agnès Letestu, Élisabeth Maurin, Delphine Moussin, Clairemarie Osta, Aurélie Dupont, Laëtitia Pujol, Stéphanie Romberg, autant de belles danseuses, quel dénominateur esthétique commun entre elles ? Aucun, sinon les stigmates du travail.

Nous devons donner aux enfants la connaissance de leur corps et aussi, en corollaire, la connaissance et la gestion de la douleur de leur corps.

La jeunesse se grise de l'explosion du corps au mépris de tout contrôle. J'ai compris très tard la primauté de l'esprit, grâce à Harald Lander qui m'a enseigné à trouver, sur la longueur d'une variation, les points de respiration et de décontraction, les bouffées d'énergie et les réserves pour arriver à terminer vivant !

À notre tour, nous devons transmettre aux jeunes cet apprentissage, gommer la peur, expliquer ce qu'est la douleur, ses mécanismes, rassurer.

Le plus difficile à supporter est souvent l'inconnu. Les premiers maux font découvrir la fragilité du corps jusque-là considéré comme invulnérable. Les jeunes danseurs font cette découverte très tôt et s'angoissent rapidement des conséquences sur leur entraînement physique. Au fil du temps, le professionnel apprend à vivre et à travailler avec ces symptômes récurrents. Selon les cas, les muscles, ou les tendons, ou les articulations ouvrent le bal.

Dans ce domaine de la maîtrise de la douleur, la personne qui m'a le plus impressionnée était Claire Motte, qui a commencé à souffrir très tôt et avait une connaissance incroyable des points douloureux de son corps, ossature et musculature, et une gestion parfaitement efficace de ses problèmes physiques.

Douleur et fatigue sont souvent confondues. La fatigue est une conséquence obligée du travail physique du danseur. Fatigue et endurance forment un couple infernal. « Faire » ses jambes, ses pieds, son dos, ne va pas sans fatigue, « entretenir » son corps une fois formé ne va pas sans douleur. Le rythme du travail, la succession des pas à recommencer, quatre fois de chaque côté, je le rappelle, peuvent seuls assurer pour plus tard la tenue en scène. L'époque n'est pas propice à la valorisation de cette discipline du corps, de ce dépassement. J'ai du mal à l'obtenir à l'École, des professeurs même. « Il ne faut pas fatiguer les enfants », me dit-on, alors il faut choisir une autre voie...

L'effort du corps vers la beauté et la vérité du mouvement nécessite, dans le domaine de la danse classique, d'être sous-tendu par le courage physique et l'endurance. Lorsque Marcelle Bourgat publie, en 1945, son livre intitulé *Manuel de la danse*, elle consacre un passage à l'endurance qui est toujours pertinent : « Les danseurs, tout comme les sportifs, sont soumis à des épreuves d'endurance conditionnées par les difficultés, la rapidité et la durée des évolutions. Tous les sujets ne sont pas susceptibles, même après entraînement, de soutenir plusieurs minutes durant des exercices de danse à une allure rapide ; de même la bonne tenue d'un rôle dans un ballet de trente minutes ou la présentation de plusieurs danses successives dans un récital ne sont pas des performances à la portée de tous [...]. »

Il en est de même pour la discipline. Si elle est vécue négativement comme une contrainte, il faut changer de chemin. Si elle devient un art de vivre, si elle procède du besoin de recherche sur soi-même, de recherche sur le sens de la beauté, il en est tout autrement. Librement consentie, elle se rapproche d'une mystique.

Vivant par leurs corps, les danseurs apprennent très tôt à développer ces qualités mentales, à exercer leur contrôle sur le psychique comme sur le physique.

Certains ont en plus le rayonnement, qui ne s'apprend pas, comme Karl Paquette, présence lumineuse que le public a repérée tout de suite. Il a des qualités et aussi des défauts, mais il est heureux dans ce qu'il fait. Danser est pour lui un plaisir, d'où ce charisme.

À l'École, les jeunes sont tenus très serrés, leurs défauts sont pointés avec insistance. Grâce à cette vigilance, ils devraient à la sortie avoir conscience de leurs atouts et de leurs problèmes, mais le processus de formation n'est pas terminé. Lorsqu'ils entrent dans le corps de ballet souffle pour eux, tout naturellement, un grand vent de liberté, tout comme lorsqu'un adolescent quitte ses parents. Ils sont pourtant encore en période de croissance et doivent continuer à s'entraîner avec régularité.

Le plus bel exemple de cette discipline, de cette constance dans le travail est pour moi Manuel Legris. Il allie une grande connaissance de soi à la réflexion et à la régularité dans le travail. Prenant exemple sur Rudolf Noureev, qui l'a profondément influencé, il est chaque matin à la barre.

Les années passent, mais la solidité de son travail lui assure une prise sur le temps.

Il n'y a pas de mystère, Manuel a des qualités naturelles, la conscience de son corps, la volonté et une personnalité artistique qui s'est d'ailleurs révélée plutôt tard, grâce à un prodigieux approfondissement de son talent. Il me touche infiniment. Sa passion et son amour lorsqu'il a interprété le rôle de Frédéric dans *L'Arlésienne* de Roland Petit m'ont bouleversée.

Notre rôle est de révéler le jeune danseur à lui-même,

de lui apprendre à lâcher la barre, à quitter le miroir. Pour certains la personnalité est visible dès les premières années d'École, ainsi Laurent Hilaire qui, tout petit, était déjà profondément original, tendu, nerveux, allant à l'extrême.

José Martinez, qui nous est arrivé « tout fait » de Cannes, m'a intéressée par son évolution artistique. Mince et léger, deux qualités innées, il a développé sa solidité et son tonus musculaires, pris de « l'épaisseur » dans ses interprétations.

Ces trois garçons s'appuient sur leur travail de base à la classe. Ils sont pleinement conscients de leurs possibilités corporelles. Leur plaisir à travailler et à danser est communicatif. Ils savent pourquoi et comment ils donnent, ce qui amène un échange avec le public d'une qualité rare.

Pour appuyer le contrôle de l'élève sur son propre développement, j'ai instauré un travail important avec la vidéo, résultat tout à la fois de ma propre expérience et des avancées techniques.

Entre 1954 et 1976, je crois bien être passée quasiment chaque semaine dans des émissions télévisées diverses et variées, utilisant la comédie, le chant, la danse, le cirque, l'interview ou même le rock !, avec Jacques Chazot, François Chatel, Aimée Mortimer, Jean-Christophe Averty, Gilbert et Maritie Carpentier et tant d'autres... Les studios des Buttes-Chaumont me changeaient d'air par rapport au palais Garnier, m'immergeaient au sein d'un autre monde, tout aussi fermé d'ailleurs que celui de la danse.

Mais je déteste perdre mon temps et les longues séances d'enregistrement, leur lenteur, due tout autant à une piètre organisation qu'aux problèmes techniques, m'étaient insupportables.

Aux États-Unis, j'ai découvert grâce à Gene Kelly le travail avec la vidéo, rapide, précis, permettant des corrections immédiates.

Lorsque j'ai assumé brièvement les responsabilités de maître de ballet, j'ai obtenu que les répétitions des ballets de Maurice Béjart, *Noces* et *L'Oiseau de feu*, soient filmées avec ce procédé, grâce à un matériel de location puisque l'Opéra ne possédait pas encore de service adéquat.

À l'École, j'ai pu développer cette pédagogie qui permet de déceler ses propres défauts et d'y porter remède. Chaque trimestre, les élèves des différentes divisions sont filmés, de face, de profil et de dos, et les projections sont commentées par les professeurs. Les enfants, la première surprise passée, car on ne se voit jamais comme on est, et quelques larmes versées et étanchées, prennent très bien ces séances qui sont éclairantes et renforcent les conseils des professeurs.

La leçon est rude pour ces générations qui ne connaissent pas la différence entre voir et regarder, voient sans voir, écoutent sans entendre, ne pratiquent pas l'analyse, même instinctive, ne peuvent pas chanter les rythmes sur lesquels elles dansent. L'usage des magnétophones, des minicassettes, si pratiques par ailleurs, a fait perdre aux danseurs l'habitude de chanter les musiques de leurs chorégraphies, de mémoriser naturellement le couple musique et mouvement.

Pour retrouver ce naturel, dans un autre domaine, celui de la position, de la démarche, j'ai institué les cours de danse folklorique. Ayant vu défiler dans mon bureau des légions d'enfants marchant « en canard » avec la nuque raide, et retrouvé les mêmes totalement avachis quand ils croyaient avoir échappé à mon regard, j'ai voulu qu'ils réapprennent une démarche « naturelle ». La danse folklorique leur permet un mouvement sans contrainte, une liberté du corps, tout en développant l'énergie, l'attaque du mouvement, la théâtralité.

À la fin de la première division a lieu l'épreuve suprême, le concours d'entrée dans le corps de ballet de l'Opéra.

Article 9 – Concours d'entrée dans le Ballet

9.1. Dispositions générales

En application de l'article 3 du titre IV de la Convention collective de travail de l'Opéra National de Paris, les élèves de 1re division achevant leurs études bénéficient d'une priorité de recrutement dans le Corps de Ballet de l'Opéra national de Paris. Ils peuvent se présenter au concours d'entrée à condition de posséder le Brevet des Collèges.

Les candidats doivent avoir seize ans dans l'année pour entrer dans le Ballet. Des dérogations peuvent être accordées exceptionnellement aux candidats plus jeunes.

9.2. Nature des épreuves

La nature des épreuves : une variation classique du répertoire est communiquée aux candidats au moins dix jours avant leur déroulement.

9.3. – Composition du jury – règlement et modalités de notation

La composition du jury est fixée conformément aux dispositions particulières aux artistes du Ballet (titre IV, art. 3) prévues par la Convention collective de travail de l'Opéra national de Paris.

À l'issue des variations, le jury procède à un vote pour chaque place en vue du classement des candidats à partir de la 1re jusqu'à la 6e place incluse, même si le nombre des candidats est supérieur à six.

Le vote a lieu à bulletin secret. Les décisions sont prises à la majorité absolue des voix, celle du président étant prépondérante en cas de partage égal des suffrages.

Si les voix se répartissent entre plusieurs candidats sans que cette majorité soit atteinte, il est pour cette même place procédé à un nouveau vote jusqu'à ce que ladite majorité soit obtenue.

Toutefois, au-delà du troisième tour, il est obligatoirement procédé au dernier vote uniquement pour départager les deux candidats ayant, dans l'ordre, obtenu leur plus grand nombre de voix.

En fonction de ce classement, le directeur de l'Opéra, sur proposition du directeur de la Danse, décide des engagements, compte tenu des postes à pourvoir. Les candidats ayant réussi le concours et satisfaisant aux conditions de formation générale sont intégrés dans le Corps de Ballet en tant que quadrilles stagiaires.

Les élèves de la 1ᵉ division qui ne sont pas engagés dans le Corps de Ballet de l'Opéra peuvent être maintenus à l'École de Danse s'ils ne sont pas en limite d'âge ou quitter celle-ci munis d'un diplôme de fin d'études.

Les places sont peu nombreuses, entre une et quatre environ chaque année, en fonction des départs à la retraite ou des rares abandons des danseurs de la Compagnie.

Je pousse mes grands élèves à se présenter à des auditions à l'extérieur, tout en privilégiant bien sûr le concours de l'Opéra.

Bien des parents ne comprennent pas que l'entrée à l'École de Danse ne signifie pas automatiquement, entre six et huit ans plus tard, l'entrée dans le Ballet et s'étonnent. Ils m'en font porter la responsabilité alors que le jury est souverain. Pour donner un exemple de sa constitution, le 1ᵉʳ juillet 2003, il comptait le directeur de l'Opéra, Hugues R. Gall, qui en était le président, la directrice de la danse Brigitte Lefèvre, le maître de ballet Patrice Bart, Christiane Vaussard, Victor Ullate comme personnalité invitée et moi-même en tant que directrice de l'École, ainsi que les représentants élus du corps de ballet : Véronique Doisneau, Élisabeth Maurin, Lionel Delanoë, Mallory Gaudion.

Huit candidats de première division se présentaient

pour six places. Les épreuves comportaient un adage et comme variation imposée, pour les filles une des variations du pas de quatre du *Lac des cygnes* dans la version de Bourmeister et pour les garçons la variation de l'oiseau bleu, extraite de *La Belle au bois dormant*, dans la version de Noureev. Ce programme, établi conjointement entre Brigitte Lefèvre et moi, avait été connu un mois plus tôt. Les épreuves se déroulent à huis clos, sur la scène de l'Opéra, les élèves se présentant devant le jury en tenue d'École.

À l'issue de ce concours, deux candidates ont été engagées dans le Ballet.

Je regrette, bien sûr, que les élèves de l'École n'aient pas une priorité absolue pour cet engagement. Brigitte Lefèvre a souhaité ouvrir davantage le recrutement. Elle a probablement eu raison. Mais, force est de constater qu'après les avoir pris seulement comme surnuméraires, on finit par intégrer dans la Compagnie... ces mêmes élèves, qui n'avaient pas été engagés d'emblée l'année ou les années précédentes.

Les jeunes qui ne sont pas retenus connaissent une grosse déception. Pendant un ou deux ans, ils traversent une période de deuil, nous ne les voyons plus. Puis ils reviennent et nous racontent leur « nouvelle vie ». Le haut niveau d'enseignement scolaire dispensé à l'École de Danse permet aux jeunes pratiquement toutes les mutations. Nous avons bien des surprises, notamment avec les garçons qui entament des études universitaires ou professionnelles souvent liées au corps et à ses problèmes, médecine, dentaire, kinésithérapie... Ceux qui sont bons dans leurs études sont d'ailleurs souvent ceux qui sont bons en danse. Ils se dirigent vers d'autres types de discipline que la danse classique, vers d'autres compagnies. On trouve d'anciens élèves de l'École aussi bien aux Folies Bergère qu'au New York City Ballet, à la Nouvelle Ève qu'à la Scala de Milan ! Je les respecte tous, dans leur engagement artistique quel qu'il soit.

À côté de Strasbourg, en pleine campagne, vient de s'ouvrir un nouveau petit Las Vegas. Sur douze girls, cinq sortent de l'École. J'ai été les voir et les féliciter, elles étaient mortes d'angoisse quand elles ont su que j'étais dans la salle ! La tradition française catégorise souvent ces lieux de spectacle avec une échelle de valeurs soi-disant morales. Nous devrions prendre exemple sur nos voisins européens. Galine Stock, directrice de l'École du Royal Ballet à Londres, est la mère d'une grande et belle fille dont elle est extrêmement fière, qui est danseuse au Lido. Imaginez un seul instant cette situation à l'Opéra !

Dans les premiers spectacles de la saison suivante, quelques-uns de mes « petits » prendront place dans le corps de ballet. Lors des concours annuels, je les vois à nouveau et mesure leur évolution, heureuse en général. Leurs choix de variations libres parfois me déroutent, personne ne se connaît, mais je me dis qu'on peut aussi apprendre grâce aux contre-emplois.

Le spectacle des Jeunes Danseurs en ce mois de mai au palais Garnier m'a mis du baume au cœur. Les artistes qui y participaient étaient sortis de l'École dans les dernières années, je connaissais leur technique, j'ai été fière de leurs prestations de solistes, de la façon dont ils avaient mûri.

Dorothée Gilbert a l'étoffe d'une Étoile, elle a la technique, la musicalité, la personnalité. Elle brille sur le plateau comme le faisait Monique Loudières. Sabrina Mallem est un exemple, elle n'avait pas été engagée dans le Ballet à sa sortie de l'École, puis elle y a été recrutée comme surnuméraire, elle n'a jamais baissé les bras, a travaillé avec courage et été engagée deux ans plus tard. Ces jeunes danseuses ont une intensité, une aura artistique incontestables. J'aime ces spectacles où le public découvre les jeunes recrues. Il est passionnant de voir ces quadrilles ou coryphées hors des rangs du corps de ballet. Soudain la scène est à eux, ils se donnent à fond, dansent sous leurs propres couleurs, révèlent leurs personnalités artistiques.

Au cours des années où j'ai assuré la direction de l'École, j'ai changé de lieu avec la construction des bâtiments de Nanterre, j'ai développé les programmes des études, amélioré la condition des professeurs, le confort des enfants.

En revanche, le règlement de l'École de Danse reprend à peu de chose près celui qui existait avant mon mandat. Je l'ai fait évoluer, cependant, comme on l'a vu, en ouvrant l'École aux élèves étrangers, comme on le faisait déjà dans tous les grands établissements de ce type. J'ai également aménagé la possibilité pour des élèves renvoyés après quatre ans d'études de suivre les cours pendant une année en auditeurs libres, avec possibilité de réintégration à la fin de cette année de rattrapage. J'ai également rédigé avec l'aide du service juridique de l'Opéra un règlement intérieur qui précise les droits et les devoirs de chacun.

Temps d'orage

Il y a quelques mois, le ciel m'est tombé sur la tête.

Et pourtant, à la lueur des événements qui viennent de se succéder, j'aurais dû me méfier.

Pendant trente ans, je n'avais vécu qu'avec des jeunes, enfants et adolescents, générations se renouvelant comme la vague, je n'avais pas vu le temps passer. Trente ans pour aboutir à ce que tout se retourne contre moi, moi la redresseuse de torts, devenue victime de l'injustice, quel coup amer !

Le nombre des mécontents avait grossi au fil des jours. Pendant trente ans, chaque saison, quelque trois cents enfants se sont présentés au concours d'entrée de l'École de Danse, une vingtaine a été gardée, entre trois et cinq ont été engagés dans le corps de ballet. Petit exercice simple, faites la soustraction puis la multiplication et vous avez une des composantes du problème. Plus étonnant encore, pendant ces trente années, j'ai plutôt joui d'une bonne réputation. Redoutée dans le métier, encensée dans la presse, j'ai accumulé des ennemis silencieux qui n'attendaient que l'occasion.

Très tôt, j'ai vu surgir à l'École une exceptionnelle génération d'Étoiles en puissance : Manuel Legris, Laurent Hilaire, Eric Vu An, Élisabeth Platel, Élisabeth Maurin, Sylvie Guillem, Carole Arbo, Fanny Gaïda, Marie-Claude Pietragalla et tant d'autres merveilleux danseurs qu'on retrouve, tout jeunes, dans le film tourné par Nicolas Ribowski en 1978. Mais la configuration du ciel change et les constellations ne restent pas à la même place, ces dernières années ont été moins fastes, moins de personnalités se sont révélées dans nos classes. Cela aussi a été porté à mon discrédit.

Je me rends compte que l'osmose a été trop parfaite. J'ai fini par incarner l'École de Danse, ce qui a été mauvais pour l'institution et mauvais pour moi. Les hommages m'ont été rendus, les indignités m'ont été imputées. Le vieux dicton sur la proximité entre le Capitole et la roche Tarpéienne s'est une fois encore vérifié. Simplement, le temps mis à parcourir ce court chemin fut long.

J'ajoute que, pendant vingt ans, j'ai été aidée, soutenue par Helga Nicolas, mon assistante, et par Jacqueline Bienvenue, surveillante générale. Je leur rends hommage, elles avaient une grande connaissance de l'École et une immense disponibilité, un « dévouement » – et je sais que ce terme va en choquer plus d'un, car l'époque le connote de façon négative ou bien même ridicule – à toute épreuve. Toutes deux ont pris leur retraite quasiment au même moment, laissant à leurs remplaçants la tâche de maintenir ce qui était devenu avec le temps une grosse organisation. Succéder n'est jamais facile et ces successions-là furent particulièrement difficiles, pour des raisons d'ailleurs liées aux péripéties de la vie privée des personnalités pressenties et non pas à leur travail, je m'empresse de l'écrire. Mais la calomnie alla bon train et je fus accusée de rendre l'existence impossible à mes collaborateurs – rappelons que je venais de travailler pendant vingt ans avec les mêmes individus.

Sur cet air bien connu et très « opératique » se greffa le

problème de l'encadrement de l'internat et tout spécialement des surveillantes de nuit. L'École a connu une poussée très forte de syndicalisation. Pendant les trente années de ma direction, l'École de Danse n'a connu qu'une seule grève, celle des surveillants de nuit, dont j'ai parlé plus haut. Ils répondaient à une consigne syndicale et se solidarisaient dans une affaire qui concernait le secteur de la couture de l'Opéra Bastille. Ajoutons que, dans ce seul et unique cas, le personnel d'encadrement et moi-même avons assuré le service.

Le rapport qui a servi de détonateur, demandé par les syndicats, autorisé par la Direction de l'Opéra, est un fameux amalgame. C'est aussi une cabale spécifique contre l'École et contre moi. Je suis la femme à abattre, le pouvoir à abattre. Notons qu'il a été rédigé sans que j'aie pu apporter explications ou corrections. Les entretiens sont anonymes et, seules, plaintes et récriminations ont été consignées. Je ne m'étendrai pas sur les absurdités et les vilenies que contient ce document, ce serait faire trop d'honneur à ses auteurs, mais le premier choc a été rude.

Ce fameux rapport sur le harcèlement à l'Opéra national de Paris s'étendait à tous les services de la Maison et concernait aussi bien la machinerie ou la couture. Mais l'École a été particulièrement visée et son cas monté en épingle.

Quatre jours durant, je suis restée enfermée chez moi. Le téléphone sonnait sans cesse, je répondais machinalement, puis au bout d'un moment j'ai arrêté, j'ai aussi cessé de lire les journaux, d'écouter la radio, de regarder la télévision et de décacheter le courrier où fleurissaient lettres anonymes et menaces de mort. Les journalistes m'ont harcelée, il ont été chercher des élèves, devenus de jeunes adultes, qui avaient été renvoyés de l'École ou bien avaient quitté le Ballet, pour leur faire raconter leur martyre. Mes amis croyaient bien faire en me prodiguant des conseils. L'impératif revenait comme un leitmotiv : « Défends-toi ! »

« Parle ! », « Réponds ! », « Bats-toi ! » Ces injonctions étaient inutiles, j'étais tenue au devoir de réserve, ces armes m'étaient donc interdites. Hugues Gall a eu raison de m'imposer ce silence, je l'ai compris au fil des jours en constatant la désinformation et le parti pris qui règnent dans certains organes soi-disant d'information.

Ce harcèlement se poursuit toujours aujourd'hui, je ne peux rien dire ni faire sans que mes paroles et mes gestes soient interprétés et caricaturés à la manière noire, sans que l'affabulation règne. Le résultat est là : j'ai été salie sans pouvoir répondre. Toute occasion est bonne aujourd'hui pour revenir sur le sujet, qu'il s'agisse de l'annonce de prétendues révélations ou de la nomination d'Élisabeth Platel, appelée à me succéder.

Petit à petit, grâce à mon environnement amical, j'ai émergé. Mes proches ont été priés de ne plus mentionner « l'affaire », il y eut parfois de sérieux blancs dans les conversations ! J'ai reçu des lettres de soutien d'élèves, ceux d'aujourd'hui et ceux d'hier, de parents, de professeurs, de danseurs, de chorégraphes, de spectateurs. J'ai demandé un droit de réponse au journal *Le Monde* et l'ai obtenu, gagné un procès contre *Le Nouvel Observateur*. J'ai mis en pratique ce que l'Opéra m'avait appris quand j'avais dix ans, garder la face, ne rien montrer, et endossé un nouveau costume, la carapace forgée à l'école de la vie, à l'école de l'Opéra.

J'avais choisi de partir au même moment qu'Hugues Gall, en juillet 2004, considérant qu'un cycle avait été accompli. Malgré les événements, j'ai résolu de m'en tenir à cette décision, de faire front, de ne pas donner ma démission, ce vers quoi mon caractère entier m'inclinait.

Je suis retournée à Nanterre en me jurant de prendre la situation avec humour, mais en faisant preuve de prudence. En arrivant, je me place derrière mon bureau et j'allume une cigarette, c'est un rite, j'ai l'impression que les choses seront plus faciles derrière le rideau de fumée. C'est faux, le tabac ne sert même plus à évacuer l'angoisse.

Chaque jour, je relis la phrase du général de Gaulle affichée sur ma porte : «Aucune illusion n'adoucit mon amère sérénité.»

De la civilisation de l'oral, je suis passée à celle de l'écrit, qui ne m'est pas très familière. La vie a repris, nous avons préparé les démonstrations et j'ai finalement assuré le cours de pointes que je n'avais pas trop envie de donner. Les projets ont continué sans blocage, les demandes ont afflué du monde entier, comme d'habitude, pour des expertises, des propositions de tournées.

Paradoxalement, l'École n'a jamais reçu autant de demandes d'inscription que cette année. La réputation d'établissement strict, aux études très surveillées a joué en notre faveur. Bien des parents se sont sentis rassurés par cette affirmation de respect de la discipline, considérant comme un atout ce que la campagne de presse avait dénoncé comme une rigidité. Les classes des petits sont saturées avec un effectif de quinze ou seize enfants.

Tout continue et rien n'est plus comme avant, lentement je me détache de l'École, comme autrefois je me suis détachée de ma carrière de danseuse.

L'École n'est pas un havre de paix, ou le royaume enchanté de Peter Pan, l'éternel adolescent, tant s'en faut. C'est un microcosme de notre société, le reflet exact de ses qualités et de ses défauts. Des parents sûrs d'eux ou déboussolés, des enseignants à l'aise dans leurs classes ou confrontés à des problèmes d'autorité, des enfants bien dans leur tête et dans leur corps, conscients de leur chemin, ou en proie au doute et se laissant aller. Ces situations peuvent être vécues tour à tour par les mêmes individus au fil du temps. Mais il reste des constantes : la diabolisation de l'autorité et de la discipline, la difficulté à imposer le travail et l'effort comme règle de vie, le nivellement par la base et la disqualification des disciplines artistiques de haut niveau au profit des spectacles de rue ou des Star Academy de tout genre, la sanctification de l'enfant mais son utilisation commerciale à tout va et sa médiatisation à outrance, la prééminence de la communication sur l'information.

À l'École, le processus de déstabilisation est en marche et l'exigence du travail est de plus en plus difficile à imposer. Pourtant, ces enfants, qui ont voulu être là, ont un potentiel certain pour devenir des artistes dans la discipline qu'ils ont choisie, une des plus astreignantes justement, la danse classique. Les laisser suivre la voie de la facilité serait fort confortable, surtout par les temps qui courent, mais témoignerait d'un grand mépris à leur égard. La « sélection » s'opérerait alors d'elle-même à la fin de la scolarité, avec pour critère le manque de travail. Tout le monde serait content, mais pas pour longtemps.

J'ai une certaine idée de l'École, d'abord à cause de l'important investissement de l'État dans cette institution, investissement qui ne se comprend qu'en prenant la mesure de la mission qui lui est confiée : former des danseurs classiques pour la compagnie française la plus prestigieuse, dont on dit aussi qu'elle est la meilleure du monde.

Cette excellence a nourri nombre d'ennemis, qui font leur miel de la calomnie et du dénigrement, moyens d'expression organiques de la jalousie, de l'envie et de la médiocrité.

Le principe d'autorité est en mauvaise posture, que ce soit dans les rues, dans les prétoires, dans les écoles. Les médias s'en font largement l'écho. Cette autorité m'est naturelle et me vaut, tout comme mon rôle de directrice, la position peu enviable de recours permanent. Les menus de la cantine ne sont pas adéquats, les vestiaires ne sont pas rangés, la surveillance n'est pas bien assurée. La phrase-clé est : « On va le dire à Mlle Bessy. » Parce que le travail n'est pas fait, parce que le respect des règles de vie, qui seules peuvent assurer la bonne marche d'une communauté d'enfants et d'adultes et tiennent aux plus grands principes comme aux plus petits détails, est régulièrement battu en brèche, je me transforme en croque-mitaine et suis obligée de me mêler de tout pour que soit fait seulement ce qui devrait l'être naturellement.

Cette situation de bataille quotidienne contre le laxisme est à la longue oppressante. Il serait certes plus facile de baisser les bras, de sourire benoîtement aux uns et aux autres et de laisser faire.

Au premier rang de mon bilan, je placerai la condition des professeurs, nettement améliorée, que ce soit dans le domaine des conditions de travail ou pour leur statut financier. Certains d'entre eux me semblent curieusement frappés d'amnésie... Ils ont participé à la fabrication de ce soufflé, qui se retourne maintenant contre le corps professoral tout entier qui, à son tour, comme moi, a du mal à exercer son métier. La réputation de l'École de Danse et de ses professeurs est connue dans le monde entier. Ils jouissent en conséquence d'un prestige certain. Cela me paraît seulement normal : un bon directeur sait s'entourer d'une bonne équipe. La balance est délicate entre cette aura et son corollaire de demande d'identité plus forte d'un côté, et le bien commun de l'autre. Le problème s'exacerbe au moment des démonstrations – qui ne sont pas des spectacles, au grand dam de certains qui voudraient être mis davantage en valeur pour leur gloire personnelle. Il n'est pas question d'y présenter uniquement les meilleurs élèves, mais la classe comme un collectif, composé des différences de chacun.

Certains élèves, ou leurs parents, ont aussi pris ce chemin. Toute remarque, toute critique faite à un enfant est considérée comme harcèlement. L'effort demandé est trop dur, trop fatigant. Ceux qui se plaignent sont pratiquement toujours ceux dont le travail laisse à désirer.

Je suis peut-être trop autoritaire et trop exigeante, je n'ai pas le ton mais j'ai la chanson. Pendant trente ans j'ai dirigé l'École, avec caractère et volonté, croisant le fer pour faire bouger les choses et je ne le regrette pas. Un processus est en marche qui comporte de grands risques, contre cette institution d'abord et, ensuite, contre l'art de la danse classique.

Que sera l'École demain ? Je souhaite à Élisabeth Platel, appelée à me succéder, de trouver la voie, non pas d'être une « nouvelle maman » pour ces « pauvres enfants », comme je viens de l'entendre sur une chaîne, mais à son tour une directrice dans la pleine acception du terme. Bien plus qu'un destin personnel, il en va de l'avenir de l'École comme de celui de la Compagnie, de la survie du patrimoine du ballet classique et de son enrichissement.

Aujourd'hui, je dois reconstruire ma vie, ne pas ressasser seule mes vieilles histoires de danse, recommencer, faire des projets.

Il me reste, pour le présent, quelques occupations héritées de mon passé, de celles qui occupent les mains et la tête, assurant par l'exercice physique la tranquillité de l'âme et, pour l'avenir, beaucoup à découvrir.

L'histoire d'amour est terminée, le rideau est tombé, mais personne ne pourra m'enlever soixante ans de vie à l'Opéra, dont trente ans de travail à la direction de l'École de Danse, mes élèves, mes amis.

Sur cent cinquante-quatre danseurs que compte aujourd'hui le Ballet de l'Opéra, cent quarante sont sortis de l'École pendant les années de ma direction, sans compter tous ceux qui ont été engagés ailleurs, dans d'autres Compagnies dans le monde entier. La liste n'est ni complète, ni fermée, je citerai tout de même le New York City Ballet, l'American Ballet, le Scottish Ballet, les Grands Ballets Canadiens, Covent Garden, bien des shows à Broadway, les Ballets de Baltimore, Philadelphie, San Francisco, Seattle, Toronto… Bâle, Toulouse, Bordeaux, Avignon, Nice, Marseille, Monte-Carlo, Milan… les Compagnies de Pina Bausch, Maurice Béjart, John Neumeier, William Forsythe… le Lido, le Moulin Rouge…

Hier, aujourd'hui, j'ai encore fait entrer des enfants

dans l'École. Certains seront danseurs, un ou deux peut-être Étoiles, mon travail est terminé, leur destin leur appartient.

Quand, demain, à la fin du spectacle, je viendrai sur le plateau du palais Garnier, j'aurai toujours le même émerveillement devant ces danseurs qui sont liés à mon histoire, et qui font leur chemin dans un art qui est aussi le mien, et ma vie n'aura pas été vaine.

Et, même si la scène est vide, je n'y serai pas seule, Serge Lifar et Carlotta Zambelli, Albert Aveline et Mado, Serge Peretti et Max Bozzoni, Claire Motte et Serge Golovine m'y feront cortège, et bien d'autres qui sont toujours vivants pour moi et dont je suis une des mémoires.

ANNEXES

Repères biographiques

1932
21 octobre : Naissance à Paris de Claude Durand (qui prendra le nom de scène de son grand-père, Bessy).

1939
14 janvier : Loi créant la R.T.L.N. (Réunion des Théâtres Lyriques Nationaux), qui réunit les théâtres de l'Opéra et de l'Opéra-Comique.
1er septembre : Mobilisation générale.

1940
10 juin : Occupation de Paris.

1941
Claude Bessy prend ses premiers cours de danse chez Gustave Ricaux.

1942
Entrée de Claude Bessy à l'École de Danse, dont le directeur est Albert Aveline, dans la classe de Marceline Rouvier.

1944

22 juillet au 22 octobre : L'Opéra doit cesser les représentations, faute de courant électrique.

24 août : Libération de Paris.

23 octobre : Réouverture du palais Garnier, avec l'opéra de Gounod, *Roméo et Juliette*, dans lequel Claude Bessy fait de la figuration.

1945

21 février : Jacques Rouché, administrateur de l'Opéra depuis 1914, est suspendu. Son successeur par intérim est André Gadave.

Après cinq semaines de procès d'épuration, à raison d'une séance hebdomadaire, Serge Lifar est exclu à vie de l'Opéra, ses chorégraphies interdites. La sentence sera révisée et la peine commuée en un exil d'un an. De 1945 à 1947, Serge Lifar sera l'Étoile et le chorégraphe des Nouveaux Ballets de Monte-Carlo.

27 février : Création du ballet *Roméo et Juliette*, Tchaïkovski/Lifar/Moulène.

25 mai : Maurice Lehmann est nommé administrateur de la R.T.L.N.

Fin mai-juin : Tournée du Ballet à Strasbourg ; puis à Constance et Stuttgart, en l'honneur des troupes françaises, à l'invitation du maréchal de Lattre de Tassigny.

16 novembre : Concours du corps de ballet, dans un climat glacial, quatorze danseurs et danseuses sont mis hors cadre.

Roland Petit fonde les Ballets des Champs-Élysées.

1946

Engagement de Claude Bessy dans le corps de ballet.

20 avril : Démission de Maurice Lehmann, après seize mois de mandat ; Georges Hirsch lui succède à la direction de la R.T.L.N.

15 juillet : Serge Golovine (vingt-deux ans) est engagé dans le corps de ballet.

8 novembre : Premier *Défilé du Ballet*, sur la marche des *Troyens* de Berlioz, réglé par Albert Aveline, d'après celui réglé par Léo Staats le 1er juin 1926 sur la marche de *Tannhaüser* de Wagner.

26 novembre : Michel Renault (dix-huit ans) est nommé Étoile, sans être passé par le grade de premier danseur.

28 novembre : Concours du corps de ballet. Claude Bessy passe dans la classe des premiers quadrilles.

1947

Avril : Georges Hirsch fait venir George Balanchine comme maître de ballet pour quatre mois. Tamara Toumanova est engagée comme Étoile. Alexandre Kalioujny fait ses débuts d'Étoile dans l'acte II du *Lac des cygnes*. Christiane Vaussard est nommée Étoile.

30 avril : Création à l'Opéra de *Sérénade*, musique de Piotr Illitch Tchaïkovski, chorégraphie de George Balanchine, arrangement décoratif et costumes d'André Delfau, chef d'orchestre Roger Désormière. L'œuvre est toujours au répertoire aujourd'hui. Premier rôle soliste de Claude Bessy, avec Christiane Vaussard, Denise Bourgeois, Michel Renault, Max Bozzoni...

2 juillet : Création du *Baiser de la fée*, Stravinski/Balanchine/Halika (vingt-sept représentations). Claude Bessy danse dans le corps de ballet.

28 juillet : Création du *Palais de cristal*, Bizet/Balanchine/Fini, l'œuvre est toujours au répertoire. Claude Bessy danse dans le corps de ballet.

1er septembre : Réintégration de Serge Lifar comme maître de ballet. Retour d'Yvette Chauviré dans la Compagnie.

Les Ballets de Monte-Carlo fusionnent avec les Ballets du marquis de Cuevas.

24 septembre : Serge Lifar réunit le corps de ballet à la Rotonde, le soir même les machinistes votent la grève pour protester contre sa réintégration.

1er au 18 octobre : Grève des machinistes pour protester contre la réintégration de Lifar.

15 décembre : Création des *Mirages*, Sauguet/Lifar/Cassandre. Claude Bessy danse dans le corps de ballet une des « filles de la nuit ». L'œuvre est toujours au répertoire aujourd'hui.

En décembre, lors du concours du corps de ballet, dans le jury duquel figure Mme Kchessinska, Claude Bessy passe de la classe des premiers quadrilles à celle des petits sujets, sans pas-

ser par la classe des coryphées. Serge Golovine passe directement de la classe des quadrilles à celle des grands sujets.
Roger Ritz et Max Bozzoni sont nommés Étoiles.
Serge Lifar fonde l'Institut chorégraphique.

1948

Janvier : Tournée du Ballet de l'Opéra à Copenhague, avec cinquante danseurs dont Claude Bessy. *Istar, Le Palais de cristal, Suite en blanc.*

9 juillet : Création de *Zadig*, Petit/Lifar/Labisse (quatre représentations). Claude Bessy danse dans le corps de ballet.

Septembre-octobre : Tournée du Ballet, avec quarante-cinq danseurs, au Canada, à Montréal, et aux États-Unis, à Chicago et New York, au programme quinze ballets, dix de Lifar, quatre d'Aveline, un de Balanchine, *Le Palais de cristal.*

Octobre : Claire Motte est admise à l'École de Danse.

15 décembre : Création de *Lucifer*, Delvincourt/Lifar/Brayer (quinze représentations). Claude Bessy danse dans le corps de ballet.

17 décembre : Concours du corps de ballet. Dans la classe d'Aveline, Nicole Amigues est classée première des petits sujets, Micheline Grimoin et Claude Bessy sont secondes ex-aequo.

Micheline Bardin est nommée Étoile.

1949

2 février : Rentrée de Serge Lifar comme danseur, dans *L'Après-midi d'un faune*; au même programme : *Suite en blanc, Divertissement* et le *Défilé.*

27 juillet : Création d'*Endymion*, Leguerney/Lifar/Bouchène (neuf représentations). Claude Bessy danse dans le corps de ballet.

Novembre : Nina Vyroubova est engagée dans la Compagnie comme Étoile.

18 novembre : Concours du corps de ballet ; les variations imposées pour les filles sont la variation de *Giselle* et les pizzicati de *Sylvia*. Claude Bessy est nommée grand sujet.

Serge Golovine quitte le Ballet de l'Opéra pour les Ballets du marquis de Cuevas.

1950

25 janvier : Création de *Septuor*, ballet en un acte de Francis Blanche, musique de Jean Lutèce, chorégraphie de Serge Lifar, décor et costumes d'Yves Bonnat, chef d'orchestre Robert Blot (vingt-six représentations). Claude Bessy (Elle), Paulette Dynalix (la Princesse), Pierre Lacotte (l'Assassin).

26 avril : Création du *Chevalier errant*, Ibert/Lifar/Florès (trente-cinq représentations). Claude Bessy danse dans le corps de ballet.

Mai-juin : Tournée en Italie, à Rome et à Florence.

28 mai : Création au Teatro Communale de Florence puis au palais Garnier (28 juin) de *Dramma per musica*, ballet en un acte avec chœurs de Serge Lifar, musique de Jean-Sébastien Bach, chorégraphie de Serge Lifar, décor de Maurice Moulène, chef d'orchestre Richard Blareau (six représentations). Claude Bessy danse dans le corps de ballet.

14 juin : Création de *Phèdre*, musique de Georges Auric, chorégraphie de Serge Lifar, décors et costumes de Jean Cocteau. Claude Bessy danse le rôle d'une des suivantes.

Août-septembre : Tournée du Ballet de l'Opéra en Amérique du Sud, avec quarante-sept danseuses et danseurs dont Claude Bessy.

20 décembre : Concours du corps de ballet.

Décembre : Liane Daydé (dix-neuf ans) est nommée Étoile.

1951

23 juillet : Reprise de *Sylvia*, Delibes/Lifar/Brianchon, chef d'orchestre Louis Forestier.

Claude Bessy (un petit berger), Lycette Darsonval (Sylvia), Georgette Rigel (Diane), Michel Renault (Aminta), Max Bozzoni (Orion).

26 septembre : Nomination de Maurice Lehmann comme administrateur de la R.T.L.N., il succède à Georges Hirsch.

14 novembre : Création de *Blanche-Neige*, ballet en trois actes et six tableaux d'après un conte de fées des frères Grimm, musique de Maurice Yvain, chorégraphie de Serge Lifar, décors et costumes de Dimitri Bouchène, chef d'orchestre Louis Fourestier (vingt-trois représentations).

Liane Daydé (Blanche-Neige), Nina Vyroubova (la Reine), Claude Bessy (la Libellule), Josette Clavier (la Luciole), Jacqueline Rayet (la Fée), Serge Lifar (le Chasseur), Jean-Paul Andréani (le Prince).

23 décembre : Claude Bessy fait la couverture de *V Magazine*, n° 377-78.

Claire Motte est engagée dans le Ballet à sa sortie de l'École de Danse.

1952

27 février : Création des *Caprices de Cupidon*, ballet en un acte de Vincenzo Galeotti, musique de Jens Lolle, chorégraphie de Harald Lander d'après Galeotti, décors et costumes de Chapelain-Midy, chef d'orchestre Robert Blot (soixante-dix représentations).
Claude Bessy et Jean-Bernard Lemoine, puis Pierre Lacotte (le couple norvégien). L'œuvre est toujours au répertoire de l'École de Danse.

Création de *Fourberies*, Aubin/Lifar/Oudot (trente représentations). Claude Bessy danse une variation.

Reprise des *Deux Pigeons*, Messager/Mérante, avec Christiane Vaussard (Gourouli), Micheline Bardin (Djali), Claude Bessy (une petite amie), chef d'orchestre Robert Blot. L'œuvre est au répertoire de l'École de Danse.

18 juin : Les Indes galantes, opéra-ballet de Jean-Philippe Rameau, chorégraphies de Aveline, Lifar, Lander, mise en scène de Maurice Lehmann. Claude Bessy danse dans plusieurs entrées.

19 juillet : Création de *Trésor et Magie*, divertissement en un acte de Serge Lifar, d'après un thème de Lancôme, musique de Henri Sauguet, chorégraphie de Serge Lifar, composition décorative et costumes de Jacques Dupont, chef d'orchestre Richard Blareau.
Festival d'Aix-en-Provence (une représentation). Claude Bessy (Trésor), Josette Clavier (Magie), Jean-Bernard Lemoine (Faustus).

1er octobre : Claude Bessy, dix-neuf ans, est nommée première danseuse, tout comme Josette Clavier. Madeleine Lafon est nommée Étoile.

Octobre : Claude Bessy et Josette Clavier font la couverture de

Paris Match, n° 188, 18-25 X, p. 43-45, reportage de Gilbert Graziani, photos de Walter Carone.

19 novembre : Création à l'Opéra d'*Études*, ballet en un acte, musique de Knudage Riisager, chorégraphie de Harald Lander, décor de Moulène, costumes de Fost, chef d'orchestre Robert Blot. L'œuvre est toujours au répertoire.

Micheline Bardin (la Ballerine), Claude Bessy, Josette Clavier (deux Danseuses), Michel Renault, Alexandre Kalioujny, Pierre Lacotte...

Tournage du film de Gene Kelly, *Invitation à la danse.*

30 décembre : Par décision de Maurice Lehmann, Serge Lifar, qui porte déjà les titres de chorégraphe et maître de ballet, est nommé conseiller technique de la danse.

Harald Lander est engagé comme maître de ballet et professeur.

Roger Ritz exerce les fonctions de régisseur général.

Tournée du Ballet au Japon et en Angleterre.

Décès de Carlotta Zambelli, Albert Aveline, Léo Staats.

1953

1er janvier : Jean Babilée et Youli Algaroff sont engagés comme Étoiles.

Février : Prise de rôle de Claude Bessy, dans *Divertissement.*

5 mars : Création de *Cinéma*, ballet en trois parties de René Jeanne, musique de Louis Aubert, mise en scène et chorégraphie de Serge Lifar, décors et costumes de Louis Touchagues, chef d'orchestre Robert Blot (quinze représentations).

Deuxième tableau, « À Hollywood », Claude Bessy (Jeannette MacDonald).

Claude Bessy est immobilisée pendant quatre mois par la tuberculose.

17 juin : Création de *Hop frog*, ballet-pantomime en deux tableaux d'après Edgar Poe *(Nouvelles histoires extraordinaires)*, musique de Raymond Loucheur, chorégraphie de Harald Lander, décors et costumes de Untersteller (huit représentations). Avec Claude Bessy et Jean-Paul Andréani (La Tarentelle), Paulette Dynalix, Liane Daydé, Jean Babilée, Raoul Bari, Nicolas Efimoff.

Octobre : Grève des machinistes et lock-out du palais Garnier.

10 novembre : Fin de la grève. Signature de nouvelles conventions collectives.

12 novembre : Jean-Paul Andréani est nommé Étoile.

1954

Mai : La tournée du Ballet du Bolchoï au palais Garnier est annulée.

8-9 mai : Relâche à l'Opéra, à l'occasion du deuil national pour la chute de Diên Biên Phu.

14 juin : Casino d'Enghien. *Divertimento*, musique de Mozart, chorégraphie de Léonide Massine, avec Claude Bessy et Peter Van Dijk.

28 juillet : Création de *Printemps à Vienne*, musique de Schubert, chorégraphie de Harald Lander, décors et costumes de Jean-Denis Malclès (quarante-sept représentations). Claude Bessy danse dans le premier mouvement (Promenade).

1er août : Aix-les-Bains, Festival international de la Danse. Création de *Pas et lignes*, musique de Claude Debussy, chorégraphie de Serge Lifar, avec Claude Bessy et Michel Renault.

28 septembre-12 octobre : Tournée à Londres, à Covent Garden. Claude Bessy danse le pas de quatre de *Suite en blanc*, le pas d'acier dans *Divertissement* avec Josette Clavier et Alexandre Kalioujny, et dans *Études*.

10 novembre : Peter Van Dijk est engagé comme Étoile.

12 novembre : Émission de télévision, «L'Invitation à la danse», avec Gene Kelly.

15 décembre : Prise de rôle de Claude Bessy dans «La Femme» de *Mirages*.

1955

9 février : Création des *Noces fantastiques*, ballet en deux actes et quatre tableaux de Serge Lifar, musique de Marcel Delannoy, chorégraphie de Serge Lifar, décors de Roger Chastel, costumes d'André Levasseur, chef d'orchestre René Blot. Nina Vyroubova (la Fiancée), Claude Bessy (l'Océanide), Josette Amiel, Colette Even, Jacqueline Rayet (les Bohémiennes), Peter Van Dijk (le Capitaine) (quarante-six représentations).

10 mars : Création à la salle Pleyel, à Paris, pour les Jeunesses

musicales de France, de *L'Âme et la danse*, chorégraphie de
Serge Lifar d'après Paul Valéry, avec Claude Bessy et Michel
Renault.

6 avril : Création de *La Belle Hélène*, ballet-bouffe en quatre
tableaux d'après Offenbach, argument de Marcel Achard et
Robert Manuel, adaptation musicale de Louis Aubert et Manuel
Rosenthal, chorégraphie de John Cranko, décor et costumes de
Marcel Vertès, chef d'orchestre Robert Blot (onze représenta-
tions).
Yvette Chauviré (Hélène), Paulette Dynalix (la Nourrice),
Claude Bessy (Vénus), Michel Renault (Pâris), Max Bozzoni
(Agamemnon).

18 mai : Festival de Nantes, Théâtre Graslin. Création de *La
Tempête*, de Shakespeare, mise en scène de Jean Davy, choré-
graphie de Serge Lifar, musique d'Henri Sauguet, avec Jeanne
Boitel, Claude Bessy (Titania) et Jean Davy.

8 août : Nomination de Jacques Ibert comme Administrateur de la
R.T.L.N. à partir du 30 septembre, en remplacement de Maurice
Lehmann.

Claire Motte est nommée première danseuse.

1956

Claude Bessy, vingt-quatre ans, est nommée Étoile par Jacques
Ibert, sur le conseil de Maurice Lehmann.

25 mars : Nomination de Georges Hirsch comme administrateur de
la R.T.L.N. à partir du 30 septembre, en remplacement de
Jacques Ibert.

13 avril : Nouvelle production de *Faust*, opéra de Charles Gounod.
La chorégraphie est de Albert Aveline. Claude Bessy danse dans
le ballet.

Septembre : Renvoi arbitraire de Nina Vyroubova et de Youli
Algaroff.

5 décembre : Adieux à la scène de Serge Lifar, dans *Giselle*, à l'occasion du centenaire de la mort d'Adam.

Harald Lander est nommé directeur de l'École de Danse.

Émissions TV avec Claude Bessy : « L'homme et l'enfant », « Joie
de vivre de Serge Lifar ».

Sortie sur les écrans du film *Invitation à la danse*, en trois parties :

« Circus », « Sinbad the Sailor » et « Ring about the rosy », chorégraphie de Gene Kelly, musique composée et dirigée par André Prévin, avec Gene Kelly, Claude Bessy, Igor Youskévitch, Tamara Toumanova, Daphné Dale… [MGM]

1957

16 janvier : Adieux à la scène de Solange Schwarz, dans *Coppélia*.

15 mars : Genève. *Pas et Lignes*, divertissement de Serge Lifar sur *La Petite Suite* de Claude Debussy, orchestration Henri Büsser. Avec Claude Bessy, Max Bozzoni, chef d'orchestre Robert Blot (six représentations).

17 avril : Création de *La Symphonie fantastique*, chorégraphie de Léonide Massine sur la musique d'Hector Berlioz, décors et costumes de Christian Bérard, chef d'orchestre Robert Blot. L'œuvre est toujours au répertoire.
Christiane Vaussard (la Bien-aimée), Claude Bessy (la Fille aux fleurs), Youli Algaroff (le Musicien), Peter Van Dijk (le Pâtre), Alexandre Kalioujny (le Geôlier).

Mai. Marjorie Tallchief et George Skibine sont engagés dans la Compagnie.

8 mai : Reprise de *Variations*, ballet romantique de Serge Lifar, sur des musiques de Franz Schubert, orchestrées par Tony Aubin, chorégraphie de Serge Lifar, chef d'orchestre Robert Blot. Cinquantième représentation, avec Claire Motte, Madeleine Lafon, Claude Bessy, Christiane Vaussard, Jacqueline Rayet, Josette Amiel.

21 juin : Palais de Chaillot. Pour un gala, création de *Terrain vague*, musique de Richard Blareau, chorégraphie de Françoise Adret, avec Claude Bessy (la jeune fille).

15 juillet : Marjorie Tallchief est nommée danseuse Étoile.

30 octobre : Création de *Chemin de lumière*, ballet en un acte d'Antoine Goléa, musique de Georges Auric, chorégraphie de Serge Lifar, décors et costumes de Cassandre.
Claude Bessy (la Femme en rouge), Josette Amiel (la Jeune fille), Claire Motte (la Femme en jaune), Peter Van Dijk (le Jeune homme), chef d'orchestre Robert Blot (vingt-deux représentations).

7 novembre : Création au Mans, pour un gala, de *Idylle et jeux*, cho-

régraphie de Serge Lifar, musique de Jacques Ibert, avec Claude
Bessy et Max Bozzoni.

19 novembre : Création à l'Opéra de Monte-Carlo pour la Fête de la
Principauté de *Toi et moi,* musique de Richard Blareau, chorégraphie de Serge Lifar, avec Claude Bessy et Youli Algaroff.

Film *Une Nuit aux Baléares,* réalisation Paul Mesnier, avec Claude
Bessy, Georges Guétary, Jean-Marc Thibault. Éditeur vidéo :
René Château vidéo

Serge Lifar fonde l'université de la danse.

1958

12 mars : Création à l'Opéra de *Annabel Lee,* Schiffmann/Ski-
bine/Delfau.

25 avril : Création à l'Opéra-Comique du *Bel Indifférent,* ballet de
Jean Cocteau, musique de Richard Blareau, chorégraphie de
Serge Lifar, décor de Félix Labisse, avec Claude Bessy et Max
Bozzoni.

Juin : Tournée du Ballet de l'Opéra à Moscou avec *Nauteos, Idylle,
Suite en blanc, Mirages.*

11 juin : Soixante-cinquième représentation à Moscou de *Phèdre.*
Prise de rôle de Claude Bessy dans le rôle de Phèdre avec Made-
leine Lafon (Oenone), Josette Amiel (Aricie), Youly Algaroff
(Hippolyte), Max Bozzoni (Thésée), chef d'orchestre Robert
Blot.

8 juillet : Création de *Daphnis et Chloé,* musique de Maurice Ravel,
chorégraphie de Serge Lifar, décors et costumes de Marc Chagall,
à l'occasion d'une soirée officielle à l'Opéra de Bruxelles (une
représentation).
Claude Bessy (Chloé), Jacqueline Rayet (Lycénion), Josette
Vauchelle, Colette Even, Viviane Delini (les Nymphes), Peter
Van Dijk (Daphnis), Max Bozzoni (Briaxis), Michel Descombey
(Dorcon).
Le ballet étant un échec, George Skibine fera une nouvelle cho-
régraphie.

Claude Bessy obtient de l'administrateur Georges Hirsch une autorisation d'absence de trois mois pour aller danser avec l'American Ballet Theatre, dirigé par Lucia Chase, au Metropolitan

Opera à New York. Elle danse *Hélène de Troie*, chorégraphie de David Lichine, en alternance avec Violette Verdy, avec Scott Douglas (Paris) et Élisabeth Carroll (Lamb).

Septembre : Claude Bessy danse à New York au Metropolitan Opera avec l'American Ballet Theatre le pas de deux de *Casse-Noisette* le 22 septembre avec Erik Bruhn, *Hélène de Troie* le 27 septembre, *Miss Julie*.

30 septembre : Serge Lifar démissionne de son poste de maître de ballet.

10 octobre : Création de *L'Atlantide*, opéra en deux actes et neuf tableaux de Francis Didelot, d'après le roman de Pierre Benoit, musique de Henri Tomasi, décors et costumes de Douking, mise en scène de José Beckmans, chorégraphies de Serge Lifar et George Skibine (variations d'Antinéa), chef d'orchestre Louis Fourestier (vingt représentations).
Claude Bessy (Antinéa).

3 novembre : George Skibine est nommé maître de ballet, succédant ainsi à Serge Lifar.
Lycette Darsonval est nommée Directrice de l'École de Danse.

1959

28 janvier : Création de *La Dame à la licorne*, ballet de Jean Cocteau, musique de Jacques Chailley, chorégraphie de Heinz Rosen, décors et costumes de Jean Cocteau, chef d'orchestre Robert Blot (cinq représentations). Liane Daydé (la Licorne), Claude Bessy (la Dame), Michel Renault (le Chevalier).

8 avril : Nomination de A.M. Julien comme administrateur de la R.T.L.N.

3 juin : Création de *Daphnis et Chloé*, dans la version de George Skibine, avec les mêmes interprètes que dans la version Lifar (*cf.* 8 juillet 1958).

14 septembre : Passage à la télévision du « Gene Kelly Show », tourné à Hollywood avec Claude Bessy. Film de Fred Preffdurger, *Shadow of love*, avec Jacques Bergerac et Hop Lange (ou comment une jeune danseuse française s'éprend d'un écrivain américain).

4 novembre : Création à l'Opéra-Comique de *Orphée*, musique de Christoph Willibald Glück, chorégraphie de Peter Van Dijk, chef d'orchestre Louis de Froment, avec Claude Bessy, Ninon Lebertre, Raoul Bari, Peter Van Dijk.

Cirque d'Hiver. Gala de l'Union des Artistes. Claude Bessy est la femme serpent, avec comme partenaire Roger Hanin, et participe à «Chevaux en liberté, sous la chambrière» de Gilbert Bécaud, numéro réglé par Harald Lander et Karoly.

19 décembre : Création à Monte-Carlo (puis le 15 janvier 1960 à l'Opéra-Comique) de *Studio 60*, musique de Robert Bergmann, argument et chorégraphie de Claude Bessy, décor de Félix Labisse, avec Claude Bessy, Michel Rayne.

Reprise des *Sylphides*, Chopin/Fokine, chef d'orchestre Robert Blot.

Claude Bessy et Peter Van Dijk dansent les mazurkas; Claude Bessy danse le Nocturne aux côtés de Yvette Chauviré et Madeleine Lafon.

Reportage de mode dans *Jours de France* : «Claude Bessy : grand ballet de l'élégance» (reportage de Charles Vannes, photos N. Tikhomiroff et B. Lipnitzki).

Reprise des *Mirages*, avec Claude Bessy (rôle de la femme), Josette Amiel et Flemming Flindt.

Michel Renault quitte le Ballet de l'Opéra.

1960

15 janvier : Reprise à l'Opéra-Comique de *Pas et lignes*, chorégraphie de Serge Lifar, avec Claude Bessy et Attilio Labis, et de *Studio 60*, chorégraphie de Claude Bessy, avec Claude Bessy et Michel Rayne.

1er avril : Création à l'Opéra-Comique de *Combat*, musique de Raffaelo de Banfield, chorégraphie de William Dollar, chef d'orchestre Richard Blareau.

Claude Bessy (Clorinde), Attilio Labis (le Chevalier) (trois représentations).

19 avril-7 mai : New York, Metropolitan Opera. Claude Bessy danse avec l'American Ballet Theatre, dirigé par Lucia Chase.

Pas et lignes avec Royes Fernandez (19-20 avril),

Casse Noisette avec Scott Douglas (23 avril), *Miss Julie* avec Erik Bruhn (28-30 avril). Les autres danseurs invités sont Alicia

Markova, Alicia Alonso, Igor Youskevitch ; les Étoiles de l'American Ballet Theatre sont Nora Kaye, Erik Bruhn, Lupe Serrano, John Kriza.

Juin : Tournée au Théâtre royal de la Monnaie à Bruxelles avec l'American Ballet Theatre. Claude Bessy danse *Miss Julie* avec Erik Bruhn, en alternance avec Toni Lander.

6 juillet : Création de *Pas de dieux*, ballet en trois mouvements de Gene Kelly, sur le concerto en fa pour piano et orchestre de George Gershwin, chorégraphie de Gene Kelly, décors et costumes d'André François, piano, Michel Quéval, chef d'orchestre Richard Blareau (dix-huit représentations).

Claude Bessy (Aphrodite), Paulette Mons (Mlle Queue-de-cheval), Attilio Labis (Zeus), Michel Descombey (Eros), Lucien Duthoit (le Maître-baigneur), Michel Franck (un Dur).

7 juillet : Attilio Labis (vingt-trois ans) est nommé Étoile à la suite de sa prestation dans ce ballet.

16 septembre-7 octobre : New York, Metropolitan Opera, Claude Bessy danse *Pas et lignes* avec l'American Ballet Theatre.

21 décembre : Entrée au répertoire du *Lac des cygnes*, Tchaïkovski/ Petipa, dans une nouvelle présentation de Vladimir Bourmeister.

24 décembre : Claire Motte et Jacqueline Rayet sont nommées Étoiles, à partir du 1er janvier 1961.

24 décembre : Émission de télévision. *Ma Mère l'Oye*, musique de Maurice Ravel, réalisation de François Chatel, avec Josette Amiel, Tessa Beaumont, Claude Bessy, Claire Sombert, Lucien Duthoit, Jacques Chazot, Attilio Labis.

27 décembre : Prise de rôle de Claude Bessy et d'Attilio Labis dans *Le Lac des cygnes*.

Création salle Pleyel, pour les Jeunesses musicales de France de *Play Bach*, chorégraphie de Claude Bessy.

Harald Lander est nommé directeur de l'École de Danse.

Liane Daydé quitte le Ballet de l'Opéra.

1961

Claude Bessy publie *Danseuse Étoile*, chez Hachette (coll. « Idéal Bibliothèque »)

9 février : Création à l'Opéra-Comique de *La Belle de Paris*, opéra-ballet-bouffe de Jean-Jacques Etcheverry, paroles de Louis Ducreux, musique de Georges Van Parys, mise en scène de Jean-Jacques Etcheverry, décors et costumes de René Gruau, avec Claude Bessy (Parisiana ou la Belle de Paris), Jacques Chazot et André Mallabrera (Gustave, le groom), Christiane Harbell (Suzette), Ninon Lebertre (Elyane), Jacques Jansen (le baron), Michel Rayne (le duc), Paule Morin (Émilienne), Jean-Bernard Lemoine (le Couturier, le Prince étranger), chef d'orchestre Richard Blareau.

Avril : Claude Bessy fait la couverture de *Réalités*, n° 183, p. 72-79, photos de Claude Rodriguez.

1er juin : 300ᵉ représentation de *Suite en blanc*, Lalo/Lifar/Moulène, chef d'orchestre Robert Blot, avec Maria Tallchief, Madeleine Lafon, Claude Bessy, Claire Motte, Max Bozzoni, Jean-Paul Andréani, Attilio Labis.

24 juillet : Création au Festival d'Aix-en-Provence du *Combat de Tancrède*, musique de Monteverdi, chorégraphie de Janine Charrat, costumes de S. Lalique, avec Claude Bessy et Attilio Labis.

Novembre-décembre : Tournée en U.R.S.S. de Claude Bessy et Attilio Labis, *Le Lac des cygnes*, à Leningrad et à Moscou, dans la grande Salle des Congrès du Kremlin, à Tbilissi, à Kiev...

Flemming Flindt est engagé dans la Compagnie comme Étoile.

Tournée en Australie et en U.R.S.S.

Claude Bessy reçoit le prix Pavlova.

1962

9 mars . Cirque d'Hiver. Gala de l'Union des Artistes. « Aimez-vous la magie ? », avec Claude Bessy et Anthony Perkins.

14 mars : Création de *Symphonie concertante*, chorégraphie de Michel Descombey, sur la *Petite suite concertante* de Franck Martin, décor et costumes de Bernard Daydé, chef d'orchestre Richard Blareau, avec Claude Bessy et Attilio Labis.

Août : Tournée en Amérique du Sud du Groupe des Huit.

Septembre : Michel Descombey, nommé maître de ballet après la démission de George Skibine, prend ses fonctions.

30 septembre : Retour de Serge Lifar comme chorégraphe, qui remonte *Les Mirages*, *Salade* et *Icare*.

30 novembre : Premier cours de danse jazz au palais Garnier, donné par Gene Robinson.

1963

12 mars : Création, salle Pleyel à Paris, pour les Jeunesses musicales de France, de *Entrelacs*, musique de Hector Berlioz, chorégraphie de Attilio Labis, avec Claude Bessy.

Avril : Tournée au Japon, avec Claude Bessy, Claire Motte, Jacqueline Rayet, Jean-Paul Andréani, Peter Van Dijk, Attilio Labis.

12-17 août : Tournée aux États-Unis, au Jacob's Pillow Dance Festival, avec Claude Bessy, Claire Motte, Christiane Vlassi, Cyril Atanassoff, Attilio Labis, et Juan Giuliano du Ballet du marquis de Cuevas. Au programme : *Entrelacs* (musique d'Hector Berlioz, chorégraphie d'Attilio Labis), *Combat* (musique de Raffaelo de Banfield, chorégraphie de Claude Bessy) dansé par Claude Bessy et Attilio Labis, *Fête paysanne* (version du pas de deux des paysans de *Giselle*, chorégraphie de Peter Van Dijk), *Daphnis et Chloé*, pas de deux (musique de Maurice Ravel, chorégraphie de George Skibine) avec Claude Bessy et Attilio Labis, *Flash Ballet* (musique de Dimitri Chostakovitch, chorégraphie de Claude Bessy, parodies du *Lac des cygnes*, de *Coppélia*, de la *Polka* et de *Pétrouchka*).

30 septembre : Départ de Serge Lifar.

1er octobre : Christiane Vlassi est nommée Étoile.

18 octobre : Émission de télévision de Robert Favre Le Bret, «Invitation à la danse», réalisée par Pierre Viallet, avec Claude Bessy et Attilio Labis dans *Play Bach*.

26 novembre : Création à l'Opéra-Comique de *Reflets*, musique de Pierre Sancan, chorégraphie de Michel Rayne, décor d'André Levasseur, avec Claude Bessy, Juan Giuliano, Mireille Nègre, Michèle Baude, Josette Amiel, chef d'orchestre Pierre Sancan.

Décembre : Claude Bessy se blesse pendant les répétitions du spectacle Balanchine.

19 décembre : Spectacle Balanchine, avec les créations à l'Opéra de *Concerto barocco*, *Symphonie écossaise*, *Les Quatre tempéraments* et *Bourrée fantasque*, avec Josette Amiel, Claire Motte,

Nanon Thibon, Christiane Vlassi, Cyril Atanassoff, Flemming Flindt. Toutes ces œuvres sont encore au répertoire.

Geneviève Guillot est nommée directrice de l'École de Danse.

Elle ouvre une classe de sixième, permettant aux élèves de suivre l'enseignement secondaire.

1964

3 juin : Création au Festival du Marais de *Les Paladins*, musique de Jean-Philippe Rameau, chorégraphie de Michel Descombey, avec Claude Bessy.

1er juillet : Création de *Sarracenia*, chorégraphie de Michel Descombey, musique de Bela Bartok, décors et costumes de Gustave Singier, avec Claude Bessy (l'Amour), Claire Motte (l'Angoisse, la Mort), Cyril Atanassoff (l'Ami), Attilio Labis (l'Homme).

8 juillet : Création de *La Damnation de Faust*, mise en scène et chorégraphie de Maurice Béjart, musique d'Hector Berlioz.

Christiane Vlassi et Cyril Atanassoff sont nommés Étoiles à la suite de leur prestation dans ce spectacle.

26 décembre : Création de *Play Bach* à l'Opéra-Comique, chorégraphie de Claude Bessy, musique de Jean-Sébastien Bach, arrangements de Jacques Loussier, décor et costumes d'André Levasseur, avec Claude Bessy et Cyril Atanassoff.

Décembre : Claude Bessy danse à l'Élysée sa chorégraphie *Studio 60*, avec Michel Rayne.

À l'École de Danse, ouverture d'une classe de cinquième.

1965

12 mars : Cirque d'Hiver. Gala de l'Union des Artistes, jumelé avec le Centenaire de Toulouse-Lautrec. Claude Bessy est la clownesse Cha-U-Kao, elle ouvre la représentation, puis danse le french-cancan avec le Ballet de l'Opéra.

1er avril : Jean-Pierre Bonnefous est nommé Étoile.

23 avril : Spectacle Béjart, avec les créations de *Renard*, *Noces*, *Le Sacre du printemps*.

27 avril : Nouvelle production de *Casse-Noisette* à l'Opéra-Comique, chorégraphie de Michel Rayne d'après Marius Petipa, musique de Piotr Illitch Tchaïkovski, décor et costumes de David Louradour. Claude Bessy (la Fée), Cyril Atanassoff (le Prince), Martine Maugendre (Clara).

18 août-5 septembre : Tournée au Mexique, avec Claude Bessy, Claire Motte, Martine Parmain, Cyril Atanassoff, Jean-Pierre Bonnefous, Lucien Duthoit, sous la direction de Michel Rayne (pas de deux de *Don Quichotte* et de *Roméo et Juliette, Grand Pas classique, Suite en blanc, Les Forains, Clairière*)

1er octobre : Nanon Thibon est nommée Étoile.

Gala de l'Union des Artistes. Claude Bessy remplace au dernier moment Colette Brosset, accidentée, dans un numéro de clown.

1966

17 janvier : Création à l'Opéra-Comique de *Les Fourmis*, argument et chorégraphie de Claude Bessy, musique de Pierre Sancan, décor et costumes de Claude Joubert. Michelle Baude, Josyane Consoli, Jean-Pierre Toma. L'orchestre est placé sous la direction du compositeur.

18-20 (m.) mars : Grand Théâtre de Bordeaux. *Les Fourmis.*

12-25 avril : Tournée en Amérique du Sud, avec Claude Bessy, Claire Motte, Jacqueline Rayet, Cyril Atanassoff, Peter Van Dijk.

2-9 juin : Tournée à Rome avec le Ballet de l'Opéra.

29 juin : Nouvelle production de *Coppélia*, chorégraphie de Michel Descombey, musique de Léo Delibes, décors et costumes de Pierre Clayette, avec Claude Bessy (Swanilda), Cyril Atanassoff (Franz).

28 septembre : Émission de télévision, 1re chaîne, « À vous, Claude Bessy », réalisation de Aimée Mortimer.

1967

Juillet : Création à l'Opéra-Comique de *La Mer*, musique de Claude Debussy, chorégraphie de David Lichine, avec Claude Bessy et Juan Giuliano.

Juillet : Tournée au Canada, à Montréal, pour la Semaine française de l'Exposition universelle. Spectacle en présence du général de Gaulle, Claude Bessy danse *Coppélia*.

Août : Après un grave accident de voiture survenu en Espagne, Claude Bessy est immobilisée pendant huit mois.

1968

27 avril : Rentrée de Claude Bessy à l'Opéra dans *Daphnis et Chloé*. Émission de télévision. « Signé Claude Bessy », émission d'Aimée Mortimer. Claude Bessy danse avec Cyril Atanassoff *Hommage à Sidney Bechet*, *Batucada*, ballet brésilien, le pas de deux de *Casse-Noisette*, et un extrait de *Daphnis et Chloé*.

1969

15 janvier : Création de *Les Bandar-Log*, à l'Opéra-Comique, d'après *Le Livre de la jungle* de Rudyard Kipling, musique de Charles Koechlin, chorégraphie de George Skibine, décors et costumes de Jacques Dupont, avec Claude Bessy (Bagheera), Attilio Labis (Mowgli), Chantal Quarrez, Guy Léonard (les Bandar-log), chef d'orchestre Jacques Bazire.
Serge Lifar revient à l'Opéra pour quelques mois comme chorégraphe. Claude Bessy danse *Istar*.
Février : Tournée en Égypte avec cinquante-trois danseurs du Ballet. Claude Bessy danse *Arcades*, *Suite en blanc*, *Daphnis et Chloé*.
25 avril : Cirque d'Hiver. Gala de l'Union des Artistes. Vittorio De Sica présente « Claude Bessy et son mille-pattes », formé des danseuses du corps de ballet.
12-17 juin : Théâtre de la Commune d'Aubervilliers. Claude Bessy danse *Campus*, musique de Franz Liszt, chorégraphie de Max Bozzoni.
Août : Le Trésor des Hollandais, feuilleton télévisé en quatre épisodes, scénario et dialogues d'Odette Joyeux, réalisation de Philippe Agostini, musique de Georges Auric, chorégraphie de Michel Descombey, décors de André François et Pierre Clayette. Claude Bessy, Claude Ariel, Josyane Consoli, Jacques Fabri, Jacques Dacqumine, Félix Marten, Robert Manuel, Catherine Bouchy, Pierre Didier…
17 juillet : John Taras est nommé maître de ballet, succédant à Michel Descombey.

Octobre-9 novembre : Le Ballet de l'Opéra danse au Palais des Sports *Le Lac des cygnes, Études* avec Claude Bessy, *Daphnis et Chloé* avec Christiane Vlassi.

Wilfride Piollet et Georges Piletta sont nommés Étoiles.

1970

Mars : Le contrat de John Taras n'est pas renouvelé, Roland Petit est annoncé comme son successeur.

11 juin : Roland Petit renonce aux fonctions de maître de ballet de l'Opéra.

18 juin : Claude Bessy est nommée responsable du Ballet de l'Opéra, pour une saison d'intérim, jusqu'à l'arrivée de Maurice Béjart, pressenti à son tour pour prendre la direction du Ballet.

Tournée du Ballet en U.R.S.S.

Fermeture du palais Garnier pour travaux. Les spectacles sont donnés au Palais des Sports.

3 octobre : Entrée au répertoire du Ballet de l'Opéra, lors de la saison au Palais des Sports, de *Boléro,* musique de Maurice Ravel, chorégraphie de Maurice Béjart avec Claude Bessy. L'œuvre est toujours au répertoire.

22 décembre-5 janvier : Les spectacles sont donnés au Théâtre des Champs-Élysées.

Michael Denard et Jean-Pierre Franchetti sont nommés Étoiles.

Septembre : Entrée de Patrick Dupond à l'École de Danse.

1971

Réouverture du palais Garnier.

22 octobre : Création d'*Aor,* musique instrumentale d'Igor Wakhévitch, musique électronique de Jean-Michel Jarre, chorégraphie, décors et costumes de Norbert Schmucki, Claude Bessy (Salomé), Cyril Atanassoff (Hérode).

10 décembre : Création à l'Opéra-Comique de *Psychose,* musique de Witold Lutoslawski, chorégraphie de Claude Bessy, décor et costumes de Joël Stein, avec Claude Bessy et Jean Guizerix.

30 décembre : Création de *Formes,* Constant/Petit.

Raymond Franchetti est nommé délégué général pour la danse, puis directeur de la Danse.

Le Ballet de l'Opéra-Comique fusionne avec le Ballet de l'Opéra.

1972

Juin : Claude Bessy chorégraphie le divertissement du *Bourgeois gentilhomme*, de Molière, mis en scène par Jean-Louis Barrault à la Comédie-Française.

2 octobre : Claude Bessy est nommée directrice de l'École de Danse. Elle succède à Geneviève Guillot.

2 novembre : Création de *Cantadagio*, musique de Gustav Mahler (final de la 3e Symphonie), chorégraphie de Joseph Lazzini, avec Claude Bessy et Georges Piletta.

Tournée avec le Ballet de Charleroi. Claude Bessy et Michaël Denard dansent *La Fille mal gardée*.

À l'École de Danse, la première élève à obtenir le baccalauréat est Claude de Vulpian.

1973

Rolf Liebermann est nommé administrateur de la Réunion des Théâtres Lyriques Nationaux.

1er janvier : Prise de fonctions de Claude Bessy à l'École de Danse.

14 mai : Maurice Lehmann remet à Claude Bessy les insignes de chevalier de la Légion d'honneur.

22 juin : Émission de télévision (chaîne 2), « Au théâtre ce soir » : *Maître Bolbec et son mari*, de Georges Berr et Louis Verneuil, mise en scène de Robert Manuel, décors de Roger Harth.

Avec Claude Bessy, Alain Feydeau, Anne Carrère, Michel Roux.

28 août : Claude Bessy participe à l'émission télévisée (chaîne 1) « Bienvenue à la danse », émission de Guy Béart, réalisation Jacques Audoir.

Septembre : Entrée de Carole Arbo, Fanny Gaïda, Élisabeth Maurin et Marie-Claude Pietragalla à l'École de Danse.

Saison 1972/1973. L'École de Danse compte 106 élèves (65 filles, 41 garçons).

1974

21 juin : Gala de l'Union des Artistes. Numéro de perche aérienne, avec Claude Bessy et Georges Piletta.

Saison 1973/1974. L'École de Danse compte 95 élèves (52 filles, 43 garçons).

1975

21, 24, 26, 29 octobre, 4, 7 novembre : Adieux officiels de Claude Bessy, dans la reprise de *Pas de dieux* avec Cyril Atanassoff et le pas de deux de *Daphnis et Chloé* avec Michael Denard.

Au même programme, le ballet de *Faust*, dans la chorégraphie de George Balanchine, chef d'orchestre Michel Quéval.

Stage à l'École de Danse de jeunes gymnases qui préparent les Jeux olympiques.

Claude Bessy danse avec Jean Guélis *Dance Madness*, chorégraphie de Léone Mail.

Septembre : Entrée d'Élisabeth Platel, Kader Belarbi et Laurent Hilaire à l'École de Danse et de Patrick Dupond dans le corps de ballet.

Saison 1974/1975. L'École de Danse compte 98 élèves (50 filles, 48 garçons).

1976

Premiers « foyers » de l'École de Danse, esquisse d'un internat.

Réforme des études avec la mise en place par le Rectorat de Paris de la scolarité à mi-temps, qui remplace le système des horaires aménagés. La matinée est alors entièrement consacrée à la danse. Des enseignants supplémentaires sont engagés : Francine Lancelot (danse ancienne), Irina Grjebina (danse de caractère), Joseph Russillo (danse moderne), Yasmine Piletta (mime), Max Bozzoni (adage), Jacqueline Moreau (variations filles), Serge Peretti (variations garçons), Lucien Duthoit (répertoire).

Jean-Marie Villégier assure un programme de conférences sur l'histoire de l'Opéra et l'histoire de la danse.

Septembre : Entrée de Sylvie Guillem et de Manuel Legris à l'École de Danse et d'Élisabeth Platel dans le corps de ballet.

Saison 1975/1976. L'École de Danse compte 107 élèves, dont 40 viennent de province (58 filles, 49 garçons).

1977

Premières Portes ouvertes de l'École de Danse à la salle Favart.

24, 25 (m.), 26 mai : Spectacles de l'École de Danse à la salle Favart. *Concerto en ré, Jeux d'enfants, Danses anciennes, Danses russes, Suite de danses, Ballet moderne, Mime, Elvire.*

1er septembre : Violette Verdy est nommée directrice de la Danse.

44e Gala des Artistes au Cirque d'Hiver. Numéro de haute école avec Claude Bessy, Claire Motte et les frères Gruss.

Claire Motte devient professeur à l'École de Danse.

Réédition du livre de Claude Bessy, *Danseuse Étoile*, chez Hachette (collection « Idéal Bibliothèque »).

Septembre : Entrée d'Isabelle Guérin à l'École de Danse.

Saison 1976/1977. L'École de Danse compte 107 élèves (57 filles, 50 garçons).

1978

29 janvier : Soirée de gala au palais Garnier. Présentation de l'École de Danse puis du film de Robert Dornhelm : *Les enfants de la rue du Théâtre.*

17 mai (m. et a.m.) : Journée de l'École de Danse à la salle Favart.

17, 19, 20, 23 mai : Spectacle de l'École de Danse à la salle Favart. Ballet de *Faust, Les Deux Pigeons, Danses Polovtsiennes.*

1er, 2, 3 décembre : Démonstrations de l'École de Danse au palais Garnier dans la Galerie basse du Musée (aujourd'hui Galerie Florence Gould) et dans la Rotonde des Abonnés.

Sur cinq cents candidats, vingt élèves sont reçus à l'École de Danse.

Septembre : Entrée de Fanny Gaïda et d'Isabelle Guérin dans le corps de ballet.

Saison 1977/1978. L'École de Danse compte 86 élèves (47 filles, 39 garçons).

1979

19 janvier : Adieux de Claire Motte, dans *Le Lac des cygnes.*

Juin : Spectacle de l'École de Danse. *Le Bal des cadets, Les Animaux modèles.*

6, 7, 8 décembre : palais Garnier. Journées de l'École de Danse dans la Galerie basse du Musée et dans la salle de spectacle.

Septembre : Entrée de Carole Arbo, d'Élisabeth Maurin et de Marie-Claude Pietragalla dans le corps de ballet.

Saison 1978/1979. L'École de Danse compte 90 élèves (43 filles, 47 garçons).

1980

28, 29 mars, 1er, 23 avril : Spectacle de l'École de Danse au palais Garnier. *Défilé, Les Deux Pigeons, Concerto en ré, Mouvements.*

Parmi les jeunes solistes : Carole Arbo, Marie-Claude Pietragalla, Pierre Darde, Wilfried Romoli.

Avril-mai : L'École de Danse participe à la tournée du Ballet aux États-Unis.

Juillet : Tournée de l'École de Danse au Japon.

30, 31 octobre, 6, 12, 15, 21, 22, 26, 27 novembre : L'École de Danse participe au spectacle « Hommage au Ballet de l'Opéra », au palais Garnier, avec *Conservatoire.*

Rosella Hightower est nommée Directrice de la Danse.

Septembre : Entrée de Kader Belarbi, Laurent Hilaire et Manuel Legris dans le corps de ballet.

30 octobre : Patrick Dupond est nommé Étoile.

Saison 1979/1980. L'École de Danse compte 88 élèves (46 filles, 42 garçons).

1981

Claude Bessy publie *La Danse et l'enfant, l'École de Danse de l'Opéra de Paris,* chez Hachette.

8-28 juillet : Tournée de l'École de Danse au Japon, à Tokyo, Osaka, Kyoto, Nagoya, Yokohama. *Concerto, Mouvement, Les Deux Pigeons,* avec trente-neuf filles et trente-six garçons, âgés de neuf à dix-sept ans.

9, 10 avril : Spectacle de l'École de Danse à la salle Favart. *Play Bach, Les Animaux modèles, Arcades.*

Parmi les jeunes solistes : Sylvie Guillem, Nathalie Riqué, Loïc Touzé, Ludovic Heiden.

9 décembre : palais Garnier. Journée « Portes ouvertes », dans la Galerie basse du Musée et dans la salle de spectacle.

23 décembre : Élisabeth Platel est nommée Étoile.

Serge Golovine devient professeur à l'École de Danse.

Septembre : Entrée de Sylvie Guillem dans le corps de ballet.

Saison 1980/1981. L'École de Danse compte 89 élèves (47 filles, 42 garçons).

1982

15 juillet : Monique Loudières est nommée Étoile.

Septembre : Entrée de Jean-Guillaume Bart et Nicolas Le Riche à l'École de Danse.

Saison 1981/1982. L'École de Danse compte 94 élèves (55 filles, 39 garçons).

1983

26 janvier : palais Garnier. Journée Portes ouvertes de l'École de Danse.

5, 6 (m.), 8, 9 (m. et s.) mars : Théâtre des Champs-Élysées. Spectacle de l'École de Danse.

Boîte à musiques, Hommage à George Skibine (extraits de *Daphnis et Chloé,* pas de deux), *Les Danses Polovtsiennes, Mouvements.*

Mars : Concours d'architecture pour l'École de Danse, organisé par le ministère de la Culture. Le lauréat est Christian de Portzamparc, avec Pierre Buraglio et Béatrice Casadesus associés au projet pour la décoration.

23 mai : Françoise Legrée est nommée Étoile.

Rudolf Noureev, devenu directeur de la Danse, nomme Claire Motte et Eugène Poliakov maîtres de ballet.

Septembre : Entrée d'Aurélie Dupont et d'Agnès Letestu à l'École de Danse.

Saison 1982/1983. L'École de Danse compte 96 élèves (54 filles, 42 garçons).

1984

2, 3 (m.), 6, 9, 10 (m.) mars : Théâtre des Champs-Élysées. Spectacle de l'École de Danse.

Le Tombeau de Couperin, Les Caprices de Cupidon, Le Festin de l'araignée.

12 décembre : palais Garnier. Démonstrations de l'École de Danse.

29 décembre : Sylvie Guillem est nommée Étoile.

Saison 1983/1984. L'École de Danse compte 83 élèves (47 filles, 36 garçons).

1985

Avril : Spectacle de l'École de Danse : *Soir de fête, La Fille mal gardée.*

6 mai : Salle Favart. Gala au profit de l'École de Danse, avec la participation de danseurs du Ballet, anciens élèves de l'École. Après le défilé de l'École de Danse : *Suite de danses,* avec Karin Averty, Laurent Hilaire, Isabelle Guérin, Carole Arbo, Christine Landault, Lionel Delanoë, Loïc Touzé, Guillaume Graffin ; *Le Bal des cadets,* avec Élisabeth Maurin et Eric Vu An ; *Les Animaux modèles,* avec Marie-Claude Pietragalla, Philippe Delorme, Carole Arbo, Christine Landault ; *Daphnis et Chloé,* avec Laurence Janot et Wilfried Romoli ; *Les Deux Pigeons,* avec Sylvie Guillem, Frédéric Olivieri, Loïc Touzé ; *L'Oiseau bleu,* avec Virginie Kempf et Frédéric Olivieri ; *Princesse Aurore,* avec Isabelle Guérin et Laurent Hilaire ; *Cantadagio,* avec Sylvie Guillem et Manuel Legris ; *Le Corsaire,* avec Karine Averty et Eric Vu An ; *Bhakti,* avec Marie-Claude Pietragalla et Wilfried Romoli ; *Grand Pas classique* d'Auber, avec Sylvie Guillem et Manuel Legris ; *Don Quichotte,* avec Élisabeth Maurin et Patrick Dupond.

28 juin-3 juillet : Tournée de l'École de Danse au Japon, à Tokyo, Osaka, Nagoya, Fukuoka, Hirochima, Nara. *Suite de danses, Les Animaux modèles, Mouvements, La Fille mal gardée, Soir de fête,* avec soixante-quinze élèves âgés de neuf à dix-huit ans.

27 septembre : Pose de la première pierre du nouveau bâtiment de l'École de Danse à Nanterre, par Jack Lang, ministre de la Culture.

2 novembre : Isabelle Guérin et Laurent Hilaire sont nommés Étoile.

23, 24, 30 novembre, 1er décembre : Salle Favart. Journées « Portes ouvertes » de l'École de Danse.

Saison 1984/1985. L'École de Danse compte 98 élèves (47 filles, 51 garçons).

1986

Mai : Spectacle de l'École de Danse. *Défilé, Concerto en ré, Les Caprices de Cupidon, Le Festin de l'araignée.*

11 juillet : Manuel Legris est nommé Étoile.

16 juillet : Mort de Claire Motte.

15 décembre : Mort de Serge Lifar.

Saison 1985/1986. L'École de Danse compte 95 élèves (53 filles, 42 garçons).

1987

19, 22, 29, 30 mai : Salle Favart. Spectacle de l'École de Danse. *Suite en blanc, Les Deux Pigeons.*

22 octobre : Inauguration de l'École de Danse à Nanterre par François Léotard, ministre de la Culture.

Soirée de gala au palais Garnier, avec le *Défilé* du corps de ballet, *Concerto en ré*, par les élèves de l'École, *Grand Pas classique* avec Sylvie Guillem et Manuel Legris, *Magnificat* avec Isabelle Guérin, Élisabeth Platel, Laurent Hilaire, Charles Jude.

« Le Grand Échiquier », émission de télévision de Jacques Chancel, est consacré à l'École de Danse.

5, 6, 12, 13 décembre : Salle Favart, journées Portes ouvertes de l'École de Danse.

Septembre : Entrée de Clairemarie Osta et de José Martinez à l'École de Danse.

Saison 1986/1987. L'École de Danse compte 101 élèves (53 filles, 48 garçons).

1988

3 mars : Claude Bessy, officier de la Légion d'honneur, décorée par François Léotard, ministre de la Culture.

Les Portes ouvertes de l'École de Danse ont lieu désormais au palais Garnier.

Série d'émissions télévisées par Dirk Sanders, pour La Sept/Telmondis, « Les Enfants de la danse ».

4, 6, 7 mai : Théâtre des Champs-Élysées. Spectacle de l'École de Danse. *Conservatoire, Le Bal des cadets, Sarah, les yeux grand ouverts.*

Reportage télévisé réalisé par Jean Rabaté pour La Sept/France 3/l'Alap, « Les Écoles de Danse de l'Opéra National de Paris et de l'Académie Chorégraphique de Léningrad ».

25, 26 juin : Tournée de l'École de Danse à New York, pour des démonstrations et des spectacles à la Juilliard School, ainsi qu'une participation au *Défilé* du corps de ballet avec la Compagnie au Metropolitan Opera.

Septembre : Entrée de Agnès Letestu, Clairemarie Osta, Jean-Guillaume Bart, Nicolas le Riche et José Martinez dans le corps de ballet.

23 décembre. Élisabeth Maurin est nommée Étoile.

Saison 1987/1988. L'École de Danse compte 106 élèves (62 filles, 44 garçons).

1989

3, 4, 10, 11 février : Démonstrations de l'École de Danse au palais Garnier.

Mars : Spectacle de l'École de Danse. *La Sylphide, Mouvements.*

13 mai-28 mai : Tournée de l'École de Danse au Japon, à Osaka, Seikoku, Tokyo, Yu Port et Yokohama, avec *La Sylphide, Concerto en ré* et des démonstrations.

4, 5, 6, 7 juillet : Spectacle de l'École de Danse au Grand Palais. *Les Trois couleurs, Concerto en ré.*

Patrice Bart et Eugène Polyakov assurent conjointement la Direction de la Danse.

Septembre : Entrée d'Aurélie Dupont dans le corps de ballet.

19 décembre : Kader Belarbi est nommé Étoile.

Saison 1988/1989. L'École de Danse compte 117 élèves (69 filles, 48 garçons).

1990

24, 25, 27 mars : Spectacle de l'École de Danse au palais Garnier. *Jeux d'enfants, Les Forains, Daphnis et Chloé.*

Patrick Dupond est nommé directeur de la Danse.

22 décembre : Marie-Claude Pietragalla est nommée Étoile.

Saison 1989/1990. L'École de Danse compte 112 élèves (69 filles, 43 garçons).

1991

Tournée de l'École de Danse au Japon, à l'invitation du Tokyo Ballet, pour six représentations.

Mai : Spectacle de l'École de Danse. *M pour B, L'Oiseau de feu, Le Bal des cadets.*

Saison 1990/1991. L'École de Danse compte 96 élèves (60 filles, 36 garçons).

1992

25, 27, 28, 29 mars : Spectacle de l'École de Danse au palais Garnier. *Le Prisonnier du Caucase, Entre deux rondes, Arcades.*

Mai : Tournée de l'École de Danse à New York, au City Center, à l'invitation de l'American Ballet Theatre. Démonstrations, *Le Prisonnier du Caucase, Entre deux rondes, Arcades.*

Septembre : Entrée de Laëtitia Pujol à l'École de Danse.

13, 16, 20 décembre : Démonstrations de l'École de Danse au palais Garnier.

Saison 1991/1992. L'École de Danse compte 86 élèves (52 filles, 34 garçons).

1993

6 janvier : Mort de Rudolf Noureev.

Avril : Tournée de l'École de Danse en Grèce, à Athènes, avec *La Fille mal gardée* et *Diverdymento.*

Mars : Spectacle de l'École de Danse, *La Fille mal gardée, Diverdymento.*

Pour fêter ses vingt ans de direction de l'École de Danse, Claude Bessy tient le rôle de La Mère Simone dans *La Fille mal gardée.* Parmi les solistes, Laëtitia Pujol, Jérémie Bélingard, Alexandra Cardinale, Karl Paquette, Fanny Fiat.

27 juillet : Carole Arbo, Fanny Gaïda et Nicolas Le Riche sont nommés Étoiles.

Septembre-octobre : L'École de Danse participe au palais Garnier au spectacle *Soirées d'ouverture,* avec *Concerto en ré.*

Septembre : Entrée de Laëtitia Pujol dans le corps de ballet.

Saison 1992/1993. L'École de Danse compte 89 élèves (54 filles, 35 garçons).

1994

Hugues R. Gall est nommé directeur délégué de l'Opéra national de Paris.

17 janvier : Spectacle à l'École de Danse pour le jubilé de Claude Bessy.

Mars : Spectacle de l'École de Danse. *M pour B, La Somnambule, Play Bach.*

11, 18 décembre : Démonstrations de l'École de Danse à l'Opéra-Bastille.

Saison 1993/1994. L'École de Danse compte 98 élèves (61 filles, 37 garçons).

1995

Hugues R. Gall est nommé directeur de l'Opéra national de Paris.

17, 18, 19 mars : Spectacle de l'École de Danse à la salle Favart. *Les Caprices de Cupidon, Daphnis et Chloé, Mouvements.*

Avril : Tournée de l'École de Danse au Japon. *Les Caprices de Cupidon, Mouvements, Daphnis et Chloé.*

Brigitte Lefèvre est nommée directrice de la Danse.

Saison 1994/1995. L'École de Danse compte 119 élèves (75 filles, 44 garçons).

1996

Avril : Tournée de l'École de Danse en Suisse, à l'Opéra de Lausanne. *Le Chevalier et la Damoiselle, Western Symphony.*

Juin : Spectacle de l'École de Danse. *Le Chevalier et la Damoiselle, Western Symphony.*

Mariage de Claude Bessy et Serge Golovine.

Saison 1995/1996. L'École de Danse compte 109 élèves (71 filles, 38 garçons).

1997

Claude Bessy reçoit un Award, qui lui est décerné par le *Dance Magazine* à New York.

Avril : Spectacle de l'École de Danse. *Dessins pour six, Le Chevalier et la Damoiselle, Western Symphony.*

31 mai : José Martinez est nommé Étoile.

30 juin-18 juillet : Claude Bessy et Serge Golovine sont invités à présenter le travail de l'École lors d'un stage de la New York Public University, organisé par Gregory Scott, directeur des études doctorales en enseignement de la danse à cette université.

29 juillet-9 août : Ils poursuivent leur séjour aux États-Unis en donnant des master-classes dans le Colorado, au Vail Valley Dance Festival.

30 octobre : Agnès Letestu est nommée Étoile.

Saison 1996/1997. L'École de Danse compte 109 élèves (67 filles, 42 garçons).

1998

19 janvier : Catherine Trautmann, ministre de la Culture, remet à Claude Bessy les insignes de commandeur des Arts et Lettres.

24 janvier : Émission de radio sur France Culture : « Le bon plaisir... de Claude Bessy ».

Avril : Spectacle de l'École de Danse. *Suite Kylián, La Somnambule, Le Bal des cadets.*

À cette occasion, Claude Bessy et Serge Golovine dansent pour la première fois ensemble dans *Le Bal des cadets.*

Mai : Tournée de l'École de Danse au Japon, avec *Suite Kylián, La Somnanbule* et *Le Bal des cadets.*

31 juillet : Mort de Serge Golovine.

31 décembre : Aurélie Dupont est nommée Étoile.

Saison 1997/1998. L'École de Danse compte 117 élèves (74 filles, 43 garçons).

1999

Mars · Spectacle de l'École de Danse. *Les Deux Pigeons, Yondering.*

27 novembre : *Le Concours*, chorégraphie de Maurice Béjart. Claude Bessy fait sa réapparition sur la scène du palais Garnier dans le rôle du professeur de danse, Miss Maud.

Saison 1998/1999. L'École de Danse compte 114 élèves (76 filles, 38 garçons).

2000

5 janvier : Jean-Guillaume Bart est nommé Étoile.

Avril : Spectacle de l'École de Danse. *Péchés de jeunesse, L'Oiseau de feu, Sept Danses grecques.*

7, 8, 9 juillet : Tournée de l'École de Danse en Italie, au Teatro

Carlo Felice de Gênes, à l'invitation de Maurice Béjart, avec *Péchés de jeunesse, L'Oiseau de feu* et *Sept danses grecques*.
Saison 1999/2000. L'École de Danse compte 144 élèves (85 filles, 59 garçons).

2001

Avril : Spectacle de l'École de Danse. *Coppélia, Yondering.*
Saison 2000/2001. L'École de Danse compte 118 élèves (65 filles, 53 garçons).

2002

Avril : Spectacle de l'École de Danse. *La Fille mal gardée, Western Symphony.*
2 mai : Laëtitia Pujol est nommée Étoile.
Juin : Tournée de l'École de Danse à New York.
Juin : palais Garnier. Reprise du *Concours* de Maurice Béjart, avec Claude Bessy dans le rôle de Miss Maud.
29 décembre : Clairemarie Osta est nommée Étoile.
Saison 2001/2002. L'École de Danse compte 135 élèves (67 filles, 68 garçons).

2003

14 janvier : Mort de Raymond Franchetti.
Mort de Max Bozzoni.
4 mars : Présentation par la Cinémathèque de la Danse, à la Cinémathèque française, en avant-première de *Mademoiselle Bessy, la force du destin,* film de Nicolas Ribowski, avec Claude Bessy, Maurice Béjart, Kader Belarbi, Manuel Legris, Laurent Hilaire, Marie-Claude Pietragalla, Eleonora Abbagnato, Laëtitia Pujol, Karl Paquette... Co-production Ciné Développement, Odyssée Mezzo.
1er, 2 avril : Le film est programmé sur la chaîne Odyssée, puis sur la chaîne Mezzo.
Avril : Spectacle de l'École de Danse au palais Garnier. *Péchés de jeunesse, Jeux de cartes, Mouvements.*
26 novembre : Communiqué de Jean-Jacques Aillagon, ministre de la Culture et de la Communication, annonçant la nomination

d'Élisabeth Platel comme directrice de l'École de Danse. Élisabeth Platel prendra la succession de Claude Bessy en juillet 2004.
Saison 2002/2003. L'École de Danse compte 145 élèves (81 filles, 64 garçons).

2004
30 mars : palais Garnier. Gala en hommage à Claude Bessy.
Avril : Spectacle de l'École de Danse au palais Garnier. *Concerto en ré, Daphnis et Chloé, Play Bach.*
26 juin : Tournée à Hambourg, *Yondering.*
Juillet : Fin des fonctions de Claude Bessy comme directrice de l'École de Danse.
Saison 2003/2004. L'École de Danse compte 135 élèves (83 filles, 52 garçons).

Répertoire de l'École de Danse

24, 25 (m.), 26 mai 1977 – Salle Favart

Jeux d'enfants (création en 1941, au palais Garnier, par le Ballet de l'Opéra), Bizet/Albert Aveline, réglé par Christiane Vaussard.

Danses anciennes, musiques de la Renaissance française/Francine Lancelot; *Danses russes,* musiques populaires russes/Irina Grjebina.

Suite de danses (création en 1913, au palais Garnier, par le Ballet de l'Opéra), Chopin/ Yvan Clustine, réglé par Claude Bessy.

Ballet moderne, Pascal/Joseph Russillo.

Elvire (création en 1937, au palais Garnier, par le Ballet de l'Opéra), Scarlatti/Albert Aveline, réglé par Christiane Vaussard.

Concerto en ré (création pour l'École de Danse), Bach/Claude Bessy.

17, 19, 20, 23 mai 1978 – Salle Favart

Ballet de *Faust,* Gounod/Léo Staats, réglé par Claude Bessy.

Les Deux Pigeons (création en 1886, au palais Garnier, par le Ballet de l'Opéra), Messager/Albert Aveline, réglé par Christiane Vaussard.

Danses polovtsiennes (création en 1909, au Théâtre du Châtelet, par les Ballets Russes), Borodine/Michel Fokine, réglé par Irina Grjebina.

11 juin 1979 – Salle Favart
Le Bal des cadets, Strauss/David Lichine, réglé par Michel Rayne.
Les Animaux modèles (création en 1942, au palais Garnier, par le Ballet de l'Opéra), Poulenc/Serge Lifar, réglé par Claude Bessy.
Concerto en ré.

29 mars, 1, 2, 3 avril 1980 – palais Garnier
Défilé, Mendelssohn, réglé par Claude Bessy.
Concerto en ré, Les Deux Pigeons.
Mouvements (création pour l'École de Danse), Prokofiev/Claude Bessy.

30, 31 octobre, 6, 12, 15, 21, 22, 26, 27 novembre 1980 – palais Garnier
Participation au spectacle *Hommage au Ballet de l'Opéra* : *Conservatoire*, Paulli/August Bournonville, réglé par Claude Bessy.

9, 10 avril 1981 – Salle Favart
Arcades (création en 1964, au palais Garnier, par le Ballet de l'Opéra), Berlioz/Attilio Labis.
Les Animaux modèles.
Play Bach (création en 1960, à la salle Pleyel, pour les Jeunesses musicales de France), Loussier d'après Bach/Claude Bessy.

5, 6 (m.), 8, 9 (m. et s.) mars 1983 – Théâtre des Champs-Élysées
Boîte à musique (création pour l'École de Danse), Claude Bessy, Serge Golovine et Yasmine Piletta.
Daphnis et Chloé (création en 1959, au palais Garnier, par le Ballet de l'Opéra), Ravel/George Skibine, pas de deux.
Mouvements.

2, 3, 6, 9, 10 mars 1984 – Théâtre des Champs-Élysées
Le Tombeau de Couperin, Ravel/George Balanchine, réglé par Brigitte Thom.

Les Caprices de Cupidon (entrée en 1952 au répertoire du Ballet de l'Opéra), Lolle/Vincenzo Galeotti, réglé par Arlette Weinreich.

Le Festin de l'araignée (création en 1939, au palais Garnier, par le Ballet de l'Opéra), Roussel/Claude Bessy, d'après Albert Aveline.

25 avril, 4 mai 1985 – Salle Favart

Soir de fête (création en 1925, au palais Garnier, par le Ballet de l'Opéra), Delibes/ Léo Staats, réglé par Christiane Vaussard.

La Fille mal gardée, Hertel/Claude Bessy, d'après la version de Dimitri Romanoff.

6 mai 1986 – Salle Favart

Défilé, Concerto en ré, Les Caprices de Cupidon, Le Festin de l'araignée.

19, 22, 29, 30 mai 1987 – Salle Favart

Suite en blanc (création en 1943, au palais Garnier, par le Ballet de l'Opéra), Lalo/Serge Lifar, réglé par Claude Bessy.

Les Deux Pigeons.

4, 6, 7, mai 1988 – Théâtre des Champs-Élysées

Conservatoire, Le Bal des Cadets.

Sarah, les yeux grand ouverts (création pour l'École de Danse), Mastacan/Gigi Caciuleanu.

7, 10, 11 mars 1989 – Salle Favart

La Sylphide (création en 1836, au Théâtre royal de Copenhague, par le Ballet royal danois), Løvenskjold/August Bournonville, réglé par Dinna Bjørn.

Mouvements.

4, 5, 6, 7 juillet 1989 – Grand Palais

Concerto en ré.

Les Trois Couleurs (création pour l'École de Danse), Loussier/ Serge Golovine.

24, 25, 27 mars 1990 – palais Garnier
Jeux d'enfants.
Les Forains (création en 1945, au Théâtre des Champs-Élysées, par les Ballets des Champs-Élysées ; entrée en 1993 au répertoire du Ballet de l'Opéra), Sauguet/Roland Petit.
Daphnis et Chloé (création en 1959, au palais Garnier, par le Ballet de l'Opéra), Ravel/ George Skibine.

16, 17, 18 mai 1991 – palais Garnier
M pour B (version pour l'École de Danse), Mozart/Maurice Béjart.
L'Oiseau de feu (création en 1910, au palais Garnier, par les Ballets Russes), Stravinsky/ Michel Fokine, réglé par Pierre Lacotte.
Le Bal des cadets.

25, 27, 28, 29 mars 1992 – palais Garnier
Le Prisonnier du Caucase (création en 1951, au Théâtre de l'Empire, par le Grand Ballet du marquis de Cuevas ; entrée en 1965 au répertoire du Ballet de l'Opéra-Comique), Khatchatourian/George Skibine, réglé par Michel Rayne et Claudette Scouarnec.
Entre deux rondes (création en 1940, au palais Garnier, par le Ballet de l'Opéra), Samuel-Rousseau/Serge Lifar, réglé par Michel Renault et Liane Daydé.
Arcades.

25, 27, 28 mars 1993 – palais Garnier
Diverdymento (création pour l'École de Danse), Mozart/Violette Verdy.
La Fille mal gardée.

29, 30 septembre, 1, 2, 4, 5, 6, 7, 8 octobre 1993 – palais Garnier
Participation au spectacle « Soirées d'ouverture » : *Concerto en ré.*

26, 27, 28 mars 1994 – palais Garnier
M pour B.
La Somnambule (création en 1946, au New York City Center, par le Ballet Russe de Monte-Carlo), Rieti d'après Vincenzo Bellini/George Balanchine, réglé par Serge Golovine.
Play Bach.

17, 18, 19 mars 1995 – Salle Favart
Les Caprices de Cupidon, Daphnis et Chloé, Mouvements.

19, 20, 21, 22 juin 1996 – palais Garnier
Le Chevalier et la Damoiselle (création en 1941, au palais Garnier, par le Ballet de l'Opéra), Gaubert/Serge Lifar, réglé par Claude Bessy.
Western Symphony, Kay/George Balanchine, réglé par Violette Verdy.

7, 8, 10, 11 avril 1997 – palais Garnier
Dessins pour six, Tchaïkovski/John Taras.
Le Chevalier et la Damoiselle, Western Symphony.

26, 27, 29, 30 avril 1998 – palais Garnier
Suite Kylián, Stravinski, Janacek, Dvórak/Jiří Kylián.
La Somnambule, Le Bal des cadets.

20, 21 mars 1999 – Théâtre des Champs-Élysées
Les Deux Pigeons.
Yondering, Foster/John Neumeier.

29, 30 avril, 2, 3 mai 2000 – palais Garnier
Péchés de jeunesse (création pour l'École de Danse), Rossini/Jean-Guillaume Bart.
Sept danses grecques, Theodorakis/Maurice Béjart.
L'Oiseau de feu.

3, 4, 6 avril 2001 – palais Garnier
Coppélia (création en 1870, à l'Opéra de la rue Le Peletier, par le Ballet de l'Opéra), Delibes/Arthur Saint-Léon, réglé par Pierre Lacotte et Claude Bessy.
Yondering.

13, 15, 16 avril 2002 – palais Garnier
La Fille mal gardée, Western Symphony.

5, 7, 11, 12 avril 2003 – palais Garnier
Jeu de cartes (création en 1945, par les Ballets des Champs-Élysées), Stravinski/Janine Charrat.
Péchés de jeunesse, Mouvements.

1, 3, 6, 8 avril 2004 – palais Garnier
Concerto en ré, Daphnis et Chloé, Play Bach.

Les professeurs de l'École de Danse

1re division filles
1966-1994 Christiane Vaussard / 1993-2002 Christiane Vlassi / 2002-2004 Carole Arbo

1re division garçons
1972-1979 Michel Renault / 1979-1983 René Bon / 1983-1997 Serge Golovine / 1997-2004 Jacques Namont

2e division filles
1966-1990 Jacqueline Moreau / 1990-2004 Francesca Zumbo

2e division garçons
1970-2001 Gilbert Mayer / 2001-2003 Jean-Yves Lormeau

3e division filles
1957-1984 Huguette Devanel / 1977-1983 Claire Motte / 1983-1988 Christiane Vlassi (⇒ 4^e division filles ⇒ 1re division filles) / 1988-2002 Liliane Oudart / 2002-2004 Fabienne Cerutti

3e division garçons
1975-1997 Lucien Duthoit / 1997-1999 Marc Du Bouays
(⟹ 4e division garçons) / 1999-2004 Bernard Boucher

4e division filles
1955-1984 Jeanne Geraudez (+ perfectionnement) /
1980-1988 Pierrette Mallarte / 1988-1993 Christiane Vlassi /
1993-2004 Pierrette Mallarte

4e division garçons
1970-1989 Daniel Franck / 1989-1999 Bernard Boucher
(⟹ 3e division garçons) / 1999-2004 Marc Du Bouays

5e division filles
1974-1994 Liliane Garry / 1994-1996 Claudette Scouarnec /
1996-2004 Janine Guiton

5e division garçons
1978-1983 Christiane Vlassi (⟹ 3e division filles) /
1983-1984 Liliane Oudart (⟹ 6e division garçons) /
1984-1997 Janine Guiton (⟹ 5e division filles) /
1997-2004 Bertrand Baréna

6e division filles (ouverture de ce cours en 1987)
1987-1988 Liliane Oudart (⟹ 3e division filles) /
1988-1996 Pierrette Mallarte / 1996-2004 Claudette Scouarnec

6e division garçons
1984-1987 Liliane Oudart (⟹ 6e division filles) /
1987-2004 Nicole Cavallin

6e division stagiaires
Perfectionnement
1993-1994 Claudette Scouarnec / 1994-1996 Marie-Claude Dubus /
1998-2002 Fabienne Cerutti / 2002-2004 Fanny Gaïda

Pointes
Claude Bessy

Adage (seconde et première division)
1973-1997 Max Bozzoni / 1983-1985 Cyril Atanassoff /
1988-1997 Lucien Duthoit / 1997-2004 Bernard Boucher /
1997-2001 Attilio Labis / 2001-2004 Bertrand Baréna

Danse ancienne
1980-1981 Francine Lancelot

Caractère russe
1976-1989 Irina Grjebina / 1989-1993 Guermanova /
1993-1995 Nadejda Loujine / 1996-2004 Roxane Barbacaru

Moderne
1978-1979 Joseph Russillo / 1979-1982 Molly Molloy /
1982-1983 Serge Golovine / 1983-2004 Claire Beaulieu

Folklorique
1986-2000 Michelle Blaise / 2000-2004 Marie Blaise

Mime
1973-1974 Ella Jaroszewicz / 1973-2004 Yasmine Piletta

Jazz
1991-1993 Matt Mattox / 1993-2004 Bruce Taylor

Répertoire
1975-1988 Lucien Duthoit

Gestuelle musicale
1987-1988 Hervé Niquet

Solfège corporel
1987-2004 Marie-José Redont

Éducation physique
1986-1991 Jean-Paul Sereni / 1996-2004 François-Xavier Ferey

Histoire de la danse (4ᵉ, 3ᵉ, 2ᵉ div.)
1973-1983 Germaine Prudhomeau (perfectionnement) /
1979-1980 Jean-Marie Villégier (histoire du théâtre) /
1983-2004 Jean-Pierre Bottura

Expression musicale (6ᵉ, 5ᵉ, 4ᵉ div.)
1984-1988 Jean-Pierre Bottura / 1988-2004 Scott Alan Prouty

Caractère espagnol + coordination
1993-2004 Isabelle Herouard

Folklore irlandais (4ᵉ div.)
1997-1998 Agnès Haack

Comédie
1997-1999 Jean-Laurent Cochet
2003-2004 Marie Boudet

Anatomie (3ᵉ, 2ᵉ div.)
2003-2004 Emmanuel Lyon

Droit, gestion (1ʳᵉ div.)
1994-2004 Olivia Bozzoni

Ce volume a été composé
par Interligne
et achevé d'imprimer en mars 2004
par **Bussière Camedan Imprimeries**
à Saint-Amand-Montrond (Cher)
pour le compte des éditions Lattès

N° d'Édition : 45142. - N° d'Impression . 041046/4.
Dépôt légal : mars 2004.
Imprimé en France